博客思出版社

博物館策展：
跨界難不難?!
—— 用展示寫夢想

蘇芳儀◎著

推薦序
迷人的策展工作

博物館策展工作十分迷人，同時也是世界上最具創意的工作之一。博物館不但提供了策展人思考與選擇的機會，並允許將個人的理念與觀點化為實際，展現在不同的觀眾面前。因此吸引許多具有理想的朋友們前仆後繼的投入這個工作。

博物館一直是跨界合作的機構，所需的專業從考古、人類、社會、教育、心理、行銷與管理、展示設計與規劃、數位科技……等不一而足；展覽則是集其大成，將上述專業透過展覽呈現在觀眾面前，使觀眾能夠從當中獲取寓教於樂的博物館經驗，而展覽的核心即是策展人。

策展人面對博物館展示的廣泛需求及訊息傳遞方式的變化，與豐富的學習環境，必須保持熱忱及開放的心胸與時俱進。策展人必須具備跨領域的知識與技能，不但要熟悉敘事、講一個好的故事，也要了解如何將展品以合適的展陳方式呈現在眾人面前，與熟悉觀眾參觀前的預期心理與進館後的各種參觀行為，才能確保觀眾踏出博物館時，能滿載而歸。策展人面對

展覽中各種知識與技能需求的驅動，努力涉獵各項領域，對跨界合作有所體會而推動好的展覽，而這些過程都在芳儀小姐的書中一一呈現。

　　本人有幸與芳儀小姐在智慧博物館計畫中共事，特別推薦本書，這是一本了解策展人日常生活的好書。芳儀小姐將服務於科工館 20 多年的自身經驗，以深入淺出的方式、透過實際的展覽規劃、演示活動的學習成效評估、與觀眾數位時代下的觀眾參觀行為案例等精采內容，值得有志從事博物館策展工作者閱讀。

　　　　　　　　教育部智慧博物館專辦主持人

　　　　　　　　林訓能

跨界難不難?!

◆ 楔子

　　不少看過我做的展示，或者與我有展示設計業務往來者，在問到我是「學什麼的？」，大概有百分之 99.99999 的人，會張大嘴並驚訝地說：「你……學俄文的！怎麼會做展示」，是的，我是一位純「文學」背景出身的人，但我卻在過去的 20 年，跨領域地投入了展示設計的工作，完成許多展示作品。您問我「跨界」難不難?! 我的回答是「難」，但如果您願意把心倒空，對於各式各樣的事物都抱持著學習的熱忱，那就有潛質走向跨界。

◆ 成為博物館家族的一員

　　全世界沒有這樣一個工作，給您一個創作的舞台，在舞台上您可以盡情展現創意，揮灑想法，同時，每天還有來自世界各地不同的觀眾，買票入場看您的作品；有人給您掌聲，有人給您指教，這些最即時的回饋，會讓您上癮，不斷激勵著您繼續用一個一個的展示來寫夢想。我很幸運，在 1997 年有機會成為這個工作當中的一員，來到國立科學

工藝博物館擔任解說員的工作，2003 年館內工作人員職務輪調，我轉換跑道來到了展示組，這個轉換讓我投入了策展工作 15 年。展示是博物館當中最重要的一環之一，也是活水源頭，是一個需要創意及統整能力的工作，對一個完全不具備相關領域背景的我而言，這個「跨界」，著實跨很大，一路從做中學，累積經驗，15 年來我所策劃過的展示作品如下。

◆ 展示作品（依時間排序）

2005/01/27-2005/06/12	守護地球的眼睛～ 福爾摩沙衛星特展
2006/06/27-2006/11/05（高雄科工館） 2006/11/21-2007/01/21（臺北科教館） 2007/02/07-2007/04/22（臺中科博館）	青春氧樂園～ 無菸，少年行巡迴展
2007/06/26-2007/09/25	童心玩趣～福爾摩沙玩具特展
2008/10/08-2009/12/05 （17 所嘉義以南高中職學校）	青春宅急便巡迴展
2009/05/23-2009/10/18	翻滾吧！貓熊特展
2010/08/08- 迄今	氣候變遷常設展示廳
2013/12/20-2014/04/20	訴心相印～印刷文物特展
2015/06/12-2015/11/29（澳門科學館）	「印象·印像」印刷技術特展
2017/11/10-2018/10/21	愛的萬物論 - 探索物聯網特展

◆ 怎麼做展示

　　怎麼做展示？當接到一個展示設計案時，我習慣用 5W1H 來檢核工作當中的每一個階段，藉此時時提醒自己不忘初衷。

　　□ Why（為何做這件事）

☐ What（目標 / 核心概念）

☐ Where（在哪裡展）

☐ When（什麼時候要做出來 / 各個工作的時程）

☐ How（如何規劃所有細節）

怎麼做展示？對我而言，做展示沒有什麼高深的理論，也沒有什麼武功秘笈，但我有屬於自己的「眉角」，2 個關鍵與 1 份文件，分別是發想展示故事、規劃展示主軸架構與展示內容文本。

KEY- 想一個展示故事

人們可以通過「敘事」的方式來理解未知的事物，就好比孩子們可以通過聽故事的方式來理解世界，用自己大腦中已有的知識結構來架構拼湊想像中的一切未知事物（張卉卉，2015）。而展示正可以像一個故事或一齣戲，在空間中展開，曲折變化，各有不同的氛圍；有低潮，有高潮，有起承轉合（吳語心，2004）。敘事注重的是增強觀者的體驗感，對作品的詮釋。敘事性與博物館空間設計相結合，使當代博物館設計開始更加重視「怎麼展」不同於以往的「展什麼」，展示敘事被提到了更突出的位置。博物館設計發展到「從物到事」，「從欣賞到理解」的層次階段（李曉玉，2015）。因此，以說故事的方式來規劃設計展示，是讓展示有溫度，容易讓人理解的關鍵。

用「地球滅火隊」來說氣候變遷廳 -

☐ 地球滅火隊的成員必須尋找失落的第五元素（日、水、土、風、人）來拯救地球。

☐ 日─認識溫室氣體 / 水─海洋的重要 / 土─極地的冰 / 風─極端天氣 / 人─解鈴還須繫鈴人。

KEY- 規劃展示主軸架構

　　我習慣用樹狀圖的方式，來呈現展示主軸架構，和一般策展人常用的泡泡圖有較大的不同，個人覺得如此一來，方便隨時檢視每個分區→到每個單元→到展示面向的層次及彼此間的關聯性，讓展示的主軸有邏輯性。

物聯網特展展示內容架構

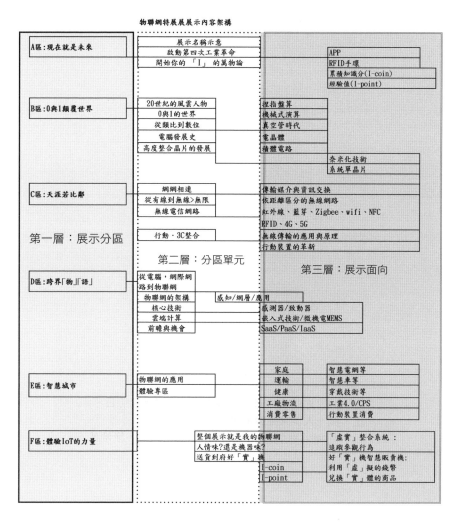

TEXT- 重要的基礎 - 展示內容文本

　　展示內容文本是建構展示的基礎，也是參與展示設計工作人員重要的依據，「有所本」的討論，會讓所有參與者更容易進入展示主題要說的故事當中，工作起來才會有效率，進而發展出相襯的展示手法。除了圖板之外，常見的展示手法大致有影片、文物或模型、多媒體互動及情境造景等，我通常會以以下體例範本來著手撰寫展覽的規畫書及說明文。

OOOOOO【展示規劃書】

一、展覽名稱
二、展示目的
三、展示故事
四、展示架構
五、展示分區與面向

	展 區	展示面向
A	展區名稱	該區要介紹的展示大綱等等
B	必須面對的真相	
C		
D		
E		

六、展示分區內容及展示手法
　　舉例如下：氣候變遷展示廳 B 區：必須面對的真相
B 區：必須面對的真相

編號	單元名稱	展示手法
B-1	是天災？還是人禍？	說明文字、圖片、互動裝置
B-2	氣候、天氣傻傻分不清楚	說明文字、圖片、實物或模型
B-3	夸父追日與大禹治水	說明文字、圖片
B-4	溫室效應與溫室氣體	說明文字、圖片、互動裝置
B-5	溫室氣體的增溫效果	說明文字、圖片、互動裝置

B-1 是天災？還是人禍？
標題：是天災？還是人禍？
內文：○○○○○○○○○○○○○○○○
圖像：世界地圖 / 知名地區或者風景前後對照改變
互動裝置：設計一個互動單元解釋米蘭科維奇循環
互動腳本：什麼是米蘭科維奇循環 1. 與地球繞日運行軌道的變化。
2. 地球自轉軸的傾斜角度（22 度到 24.5 度之間）。3. 是地球自轉
軸繞公轉軸進動。這些變化持續發生，其總和效應會不斷影響地
表太陽輻射的分布，也影響地球的冰期與間冰期的變化週期。

B-2 氣候、天氣傻傻分不清楚
標題：氣候、天氣傻傻分不清楚
內文：○○○○○○○○○○○○○○○○○○○
圖像：氣候系統的組成 / 古氣候時期的地球生物、植物等的圖片 /
仙女木 / 中世紀暖期與小冰河期圖片。
實物：樹輪、冰芯、岩芯或鐘乳石等實物或模型

B-3 一個一個單元往下寫，以此類推……
　　就 B 區而言，從展示規畫書當中就可以看出，共有 5 個單元，
5 張以上的圖（表），3 個互動裝置及 1 項模型或實物，如此一來，
可以了解這個展區的展示手法分布，也可以算出展區的容積率以
及建構時的複雜度。互動裝置的選擇也是依據展示單元的內容來
決定，透過多媒體互動手法比圖板更容易讓民眾了解什麼是米蘭
科維奇循環、溫室效應等，而選擇製作樹輪或者岩芯等模型，可
以更貼近該單元要傳達古氣候時期量測的方法。展示內容文本絕
對是策展最重要的基礎。

◆ 歡迎跨界

　　愛因斯坦曾說：「大學的價值是鍛鍊大腦的思考能力，
所謂教育是忘卻在學校的全部內容之後，所剩下的本領」，
我努力實踐著。在博物館工作的二十個年頭，從導覽解說
的專業，跨入了展示設計的領域，到展示組將近 15 年的時

間，我做過自策展示、異業結盟專案、科技部計畫、全新
展示廳到海外巡迴展，我希望藉此機會分享我工作上的經
驗。歡迎邁向跨界，一同感受博物館 - 作為「幸福感的新
起點，創造力的孵化器 」的實踐場域（Center for the Future
of Museums, American Alliance of Museums,2016）

謝辭：本書得以出版感謝國立科學工藝博物館諸位長
官的支持與協助或在創作及發表上不吝指導的各領域專家。

第一夢
氣候變遷常設展示廳

解夢密碼：地球滅火隊‧參與式互動‧科學教育

I. 地球滅火隊

如果有一天，生存了 46 億年的地球已經失控；高溫之下大家都瀕臨無法生存的狀況；每個地方的生態系統將會崩盤，彼此不再和諧共存……於是地球上的人們進行跨國界的會議討論，決定派出「地球滅火隊」尋找傳說中的五元素（日、水、土、風以及人）來拯救地球。

您準備好加入這個任務了嗎？您是否具備足夠的智能來參與這場行動？不要猶豫，請帶著發現、面對、挑戰、扭轉與掌握的精神與態度，與我們一同以行動來愛地球。

氣候變遷常設展——以地球滅火隊來發想整個展示的故事，在經費許可的情況下，運用較多的多媒體影互動手法，是高互動展示。因應主題的永續性，更希望藉由這個議題，發揮更深入的科學教育意涵，因此延伸開發許多教案及活動，讓展示與科教緊密結合，成為一體的兩面。

氣候變遷展示廳

II. 多變與不變~「2010 科學季~行動愛地球：氣候變遷展」

⊙ 接下任務

2009 年的 10 月，本館與其他四個單位一同申請行政院國家科學委員會「2010 科學季~氣候變遷」計畫，很幸運地獲得國科會的補助，由本館負責展示設計及製作，臺灣大學大氣科學系擔任本展展示內容的科學顧問，並且規劃於 2010 年 8 月 8 日莫拉克風災屆滿 1 周年開幕。

筆者很榮幸地接下了這一個「超級任務」，在短短不到 1 年的時間，要推出一個 5 年全新的常設展示廳，對筆者而言大概是職場生涯中最艱鉅的挑戰。研究氣候變遷的專家常說：「氣候的變化讓人難以預測、面對及因應」，籌畫這個展示，正好也呼應他們的論述：「所有籌展的工作在時間的壓力下，變得快且急，也常讓筆者難以預測、面對及因應」。

就從 2009 年冬天開始，氣候變遷展一點點地在科工館產生變化……

⊙ 著手規劃

身為策展人的筆者，在細讀與整理過氣候變遷的相關資料後，決定將展覽的核心概念定義為，用「反省」的角度回顧過去，持「謙卑」的態度審視現在，以「希望」的「行動」前瞻未來，而科學教育的目的為：教導民眾以正確的態度認識有關氣候變遷的原因及對人類的影響，將所學習到的知識轉化為關愛地球的情懷，同時以具體的行動將所學到的方法融入生活中，落實於工作上，達成認知、情意與知能之目標。

在展示設計理念上，以塊狀的空間擺脫過去以破碎展板來架構展覽的方式建置，參觀民眾是走進這些情境造景中參觀，而不是繞著展板走，身歷其境的感受生病的地球、受傷的台灣，破碎的家園，從而省思大自然的反撲的力量，重視環境保育以及防災觀念的重要性。

　　在展示手法上，利用空間主題情境、視覺媒體科技、裝置應用打造參觀民眾參與式的體驗，將「氣候變遷」這個嚴肅議題，予以包裝，轉化成為連結民眾生活經驗的內容，創造民眾「參觀前的期待」、「參觀時的感動」、「參觀後的回憶」。此外，運用本館展廳特有的挑高優勢進行設計，讓展示呈現立體與層次感，並延伸至展廳外的走道，讓展示空間更為開闊，同時為符合國家永續發展的目的以及切合本次展示的主題，特別選擇綠建材打造主體空間建構，比率高達 80%。

　　決定了展示核心，找出了展示設計理念，而為了讓民眾引發參觀興趣，進而親近展示，特別以「地球滅火隊」的故事來包裝整個展覽，讓民眾走進其中就像進入一座環境教育的主題樂園，參觀的過程則是在完成一件拯救地球生態環境的任務，展示內容融合科學、人文、藝術與教育的元素，具國際觀，更有本土情。

氣候變遷展示廳建置過程

⊙ 千頭萬緒

　　根據國民中小學課程綱要，環境教育成為重大議題，融入九年一貫課程。而本館所展示的氣候變遷與環境教育目標相吻合，展出內容含地球科學、大氣科學、地理、物理等相關知識領域，分布在學校不同課程中。如此複雜的議題，要整理出一份具有廣度又有深度的展示說明文，著實不容易。

　　從找資料開始，筆者就費了九牛二虎之力，成堆成山的文獻、期刊、雜誌、學術論文等，光是詳讀就要花上一段漫長的時間，還要更進一步擷取出展覽所需要的部分，幸好在專案助理及同事的協助下，筆者稍微釐出一個展示架構的雛型，以發現、面對、挑戰、扭轉、掌握，串連出展覽的5個主題區域，由全球觀點切入，再輔以台灣經驗。展示架構逐漸成形後，接下了就要將手邊的資料閱讀、消化、萃取、與組織，將內容梳理分類。

　　為了將「千頭萬緒」整理得「有條不紊」，筆者何其有幸，得「貴人」相助，由臺灣大學大氣科學系吳俊傑教授組成的科學顧問團，作為展示內容最堅強「靠山」，筆者心想，有這座「山」靠著，真不怕再來一個「莫拉克」！要將展示內容撰寫到完備至善，吳教授特別請託了5位不同領域的教授親自指導筆者，每回撰擬完的文稿，就再親自北上與教授們討論，一一審閱校正。已經記不得花了多少時間在南北往返的路程上，絞盡腦汁在整理資料的過程中，筆者曾笑著和同事說：「高鐵應該頒個金卡給我使用」，「為響應終身學習，可以考慮報考大氣科學系博士班」，看著日漸增厚的展示說明文，看著一個單元一個單元漸漸成形，內容開始變得清晰，筆者知道，所有的努力是值得的。

⊙落實展示

　　整個展示概分為 5 個區域，故事來自於地球滅火隊，從尋找失落的第五元素開始……在「A 區：導入區 ~Hello 地球」，發現水藍星球正面臨的危機，透過「地球氣候時光線」了解 46 億歲的地球溫度上的變化以及生態上的改變，在「水藍星球劇場」靜靜聆聽地球發出的怒吼，告訴我們，地球變熱了，我們沒有太多的時間等待，應該以更積極的態度來面對氣候變遷。

　　在「B 區：應該面對的真相」，讓我們勇敢面對以及了解造成地球不斷升溫的各種原因及對環境的傷害，相信這是一個艱鉅的挑戰。暖化是氣候變遷最明顯的現象，其影響反應在溫度上升、海平面上升、大部分高山冰河與極地冰雪快速融化上。透過雲朵造型的空氣海「認識溫室氣體」對地球環境的影響，搭上小船「同舟共遊航海去」來一趟海洋之旅，透過裝置應用以及多媒體互動了解海洋在氣候變化裡扮演的角色；空調當機，發出白色警戒，北極熊正遭受二氧化碳等溫室氣體的攻擊，使得生存的空間逐年縮小，運用人工樹裝置一起「捕捉西歐兔（CO_2），搶救北極熊」的立足之地。氣候變遷除了帶來天氣上的改變外，同時還衍生出許多不同議題上的「連鎖反應」，透過紅外線感測的設計，了解氣候的改變衝擊糧食、生態、澇旱、水管理、公共衛生等問題。

　　此外，回過頭來看看我們的家園「C 區：臺灣的危機與處境」，也逃不過全球氣候變遷的危害，原本美麗的國土，受到異常天氣的影響，造成暴雨、風災、海平面上升等問題；透過認識「臺灣之美」的藝術創作，讓我們一同重新探索福爾摩沙美麗的面貌，激發珍愛臺灣的情懷，透過真實故事改編的「莫拉克悲歌」電子書中，認知災難的無常，

A 區：Hello 地球

B 區：必須面對的真相

改變世界的 6 度 C 展示單元

更銘記日常防災以及預警的重要。

解鈴還需繫鈴人，人類還有扭轉的機會嗎？在「D 區：我們能做什麼－在當下與未來」透過尋找替代能源、節能減碳，一同全面動員，迎戰氣候變遷。地球燒壞了嗎？如果溫度上升到 6℃，全球會有什麼變化。此外，以網路社群的概念讓民眾簽署「行動愛地球」宣言，並透過 FaceBook，Twitter 網際網路的串連將宣導效益擴散。面對氣候變遷需要積極的新思維，最主要的課題正是減緩和調適，透過老船長的航海紀錄影片，了解臺灣及世界各國在解決氣候變遷問題上的方法及因應的手段。

最後到「E 區：你的期待」想要什麼要的未來，由你自己做決定，地球的未來，掌握在你我的手上，一起搭乘「行動號」，來一段了解氣候變遷的聲光影音劇場體驗。整個展覽以在地觀、全球觀的方式呈現，教導社會大眾以地球公民角度思考所肩負的環境責任，深化社會大眾對氣候變遷的認

知，藉此提升國民對環境永續的知識與環境防災的能力。

⊙ 與眾不同

為了配合地球滅火隊，尋找失落的第五元素這個故事，本展設計了一個與眾不同的參觀方式，參觀民眾可以選擇宣誓加入地球滅火隊，便可索取拼圖卡，到指定的互動單元中尋找「日、水、土、風、人」5 元素拼圖，並可以從本展特別開發的拼圖卡貼紙機自動送出元素拼圖，集滿 5 元素也代表著你對氣候變遷展的內容有所了解，便可以搭上拯救地球的「行動號」。這個類似闖關的參觀方式，是本館的一個新的嘗試，提供民眾一個新的博物館參觀方式。

除此之外，另外一個與眾不同的地方，便是「行動號」，其實它是一個機械式、省能的移動式劇場，過往參觀展覽中的劇場經驗不外乎大家坐在椅子上看著影片，或者加上 360 度或 720 度的投影，再炫一點則利用 3D 到 4D 等效果來呈現，這一次，筆者想顛覆過往大家對於劇場的印象，讓參觀民眾搭著一個特別的「載具」（腳踏車）用自己的力量啟動它，穿梭在長約 50 公尺軌道上，通過 3 個隧道，在隧道中透過影片、語音及文字分別說明氣候變遷的成因、工業革命後對人類的影響及如何面對目前的狀況，而參觀民眾可以選擇停下來看看旁邊所提供的資訊，聽聽相關的知識，完全是自主性的劇場參觀，由民眾自己來主導劇場。

⊙ 多變與不變

籌辦這個展覽讓筆者有機會與國內頂尖的科研機構共同合作，包括：國科會以及臺灣大學，在不到半年的合作當中，獲益匪淺，也感受到第一學府 -- 臺灣大學對於展覽內容科學性的嚴謹精神，雖然筆者不是唸大氣科學系的，

無法學以致用，但是在這次展覽中筆者所學以致用的是將臺灣大學對做學問的認真態度，應用在展示中。筆者相信，如果認真參觀本展的觀眾，一定會感受到整個策展團隊的用心。

氣候變遷展談的是，氣候的多變，讓人類無法預測、面對以及因應，說的是一種「變」，有趣的是，對策展團隊而言，規劃這個展示確有著許多「不變」的堅持，不變的是 -- 國科會每年的科學季永遠都是要將最正確的科學新知告訴大眾，達到科普教育的功能，不變的是 -- 科工館在展示上不斷求新求變，推陳出新，期使民眾都能擁有最新的博物館參觀經驗，不變的是 -- 臺灣大學對科學內容的「頂真」程度，字字推敲，治學周延，極盡完美的表現。

『2010 科學季~行動愛地球：氣候變遷展』得以順利的展出，當然感謝國科會的指導以及經費的補助，此外特別感謝臺灣大學大氣科學系吳俊傑教授以及所有參與指導的專家學者，同時也感謝本館所有組室同仁的全力支持，讓宣傳行銷活動、科學教育活動、生動活潑的導覽解說得以順利推動，一個展覽的成功需要的是一個「團隊」的努力，而不是單靠一個人或廠商，每一個環節都必須緊密結合，環環相扣，才有辦法完成展覽贏得喝采獲得掌聲，締造佳績。

⊙ 驀然回首

著手寫這篇文章，其實有很多時候都下不了筆，驀然回首⋯⋯對筆者而言，有些記憶不願意被記起，有些心情談了或許過於矯情，其實，做展覽的酸甜苦辣，沒有走過一遭的人，是很難感同身受，不過，當你看到現場民眾為了集滿 5 元素拼圖，來搭乘行動號，所有人突然團結了起

來，分工合作，眾志成城，努力地吸收展覽所提供的資訊，為得只是順利過關，得到應該有的回饋，那種認真的神情及態度，讓人看了很感動，再看到大家帶著滿足的笑容，滿滿的知識離開展場，這不就是筆者當初規劃本展的初衷——「落實寓教於樂，寓樂於教」，這不也正是博物館教育與其他教育的不同之處，是博物館獨有的魅力的所在。

III. 寓教於樂？寓樂於教？展示的兩難 - 論博物館嚴肅遊戲的運用以「氣候變遷」展示廳為例

壹 . 緒論

所謂氣候變遷是指氣候長時間（幾十年或幾百年，甚至上千年以上）的大氣趨勢演變，其造成的因素相當多，過程更是複雜，涵蓋的層面也相當廣泛，是一個充滿了不確定性的科學議題（涂建翊等，2003）。臺灣近 10 餘年來，隨著「九二一震災」到「八八風災」的陸續發生，可以看出隨著全球氣候的變遷與人為的過度開發，臺灣自然環境遭到破壞後所造成的災害，使臺灣是世界上天然災害頻繁出現的地區之一。因此，如何加強國人在面對全球氣候變遷下對於經濟發展與環境保護的知能，提高各級教育對於天然災害的預防及應變能力，應屬刻不容緩。教育部於《中華民國報告書—黃金十年百年樹人》報告書中之「氣候變遷與環境永續的關注」一節中也主張要將此議題融入教育發展的重要課題。

是故，面對此一涵括面向如此廣泛的議題，在博物館非正式的教育情境中，期望透過展示的方式來提升民眾對此議題的學習興趣，因為，博物館透過舉辦各種展覽及教育活動，除增進觀眾與博物館的互動之外，經由展覽更提供了理性與客觀的知識面向，吸引觀眾對社會、文化上公共議題的注意，尤其以充實的展覽內容，可以引發民眾主動對議題進行觀察、討論分析與判斷（韓慧泉，2012）。因此國立科學工藝博物館（以下簡稱科工館）接受科技部（原行政院國家科學委員會）之專案計畫補助建置氣候變遷展示廳（以下簡稱本展示），特將此嚴肅議題，予以包裝，轉化成為連結民眾生活經驗的內容，以本土觀、國際觀的方式透過展示來呈現，增加學習者的興趣動機及意願，有效

提升民眾對環境永續的意識。

　　過去傳統博物館的觀眾用眼睛觀賞展示並讀取解說板的說明，這種方式下的展示閱讀所獲得的往往是靜態、單向的訊息傳達，且展示所能提供之資訊亦有限（林彥銘，2004）。但在電腦出現後，數位媒體科技不斷演進，博物館也借重電腦科技所帶來的好處及便利來做為展示其內容的一個重要媒體。本展示在展示手法上，摒棄純粹靜態的展示方式，多媒體互動的展示手法被大量使用，讓觀眾在「寓教於樂」的「嚴肅遊戲」過程當中，學習新知。因為玩是動物界的本性之一，對於青少年來講，玩是生活中必不可少的部分，而嚴肅遊戲的最大特點就是將玩與學習嚴謹的內容巧妙地關聯起來。嚴肅遊戲的提出，實際上是遊戲本質的回歸。玩與學在某種意義上是一對矛盾體，有著既對立又統一的關係，它們在一定的條件下相互轉化與詮釋，帶給學習者不僅是參觀經驗的改變，期待能夠幫助他們發展技巧、能力和策略，激發他們的學習興趣，提高學習效率（袁甄妮，2015）。

　　基於上述背景，本文結合嚴肅遊戲理論來規劃設計本展示，用以提供正規教育在教導氣候變遷議題上一處非正式的學習場域，提出一個博物館展示結合嚴肅遊戲策略展示經驗-1.透過嚴肅遊戲作為一種知識載體，為觀眾傳遞更豐富的科學資訊；2.利用嚴肅遊戲作為一種認知工具，藉以引發觀眾的科學思維，培養其批判性、創造性、綜合等思維。同時探討以下兩個問題：1.如何透過「嚴肅遊戲」理論的運用，適切詮釋轉化氣候變遷相關議題？實踐科學展示教育活動之內涵，增加觀眾參觀經驗。2.能不能協助參觀者透過嚴肅遊戲的運用來傳達此一議題的內涵？參觀民眾透過這樣的設計是否從中增進應具備的科學素養，寓教於樂？寓樂於教？如何突破科普與遊戲的相容瓶頸。

貳．文獻探討

一、博物館展示的改變

　　80 年代，新博物館學的理念興起打破過去博物館保守的展示方式，因為對大眾而言，博物館展示已不再是靜態文物的陳列，而是一種參觀體驗，一種綜合各種感官刺激的經驗，增加活潑、多元、可親的展示手法，讓觀眾在「寓教於樂」的過程中，學習新知，甚至樂在其中，這也是新世紀中博物館展示的終極目標。新科技增進觀眾參與的機會，塑造出許多參與式、互動式、體驗式的博物館展示（耿鳳英，2006）。新科技媒體的大量出現，電腦相關資通訊設備價格的平民化，使得多媒體互動的展示方式所創造的聲光影音效果，逐漸在博物館中佔有一席之地，也為博物館展示開創出無限的可能性，帶給博物館展示新的改變。

　　參觀博物館的過程本身實為一種多媒體的經驗，而多媒體經驗與溝通的效度往往是正面的關係（林彥銘，2004）。過往燈箱、圖板等資訊的供給是屬於單向的溝通，較為靜態，而電腦多媒體技術的出現則提供了詮釋及轉換展示內容及藏品中更多面向的資訊表達方式，透過動畫、機構甚至感測裝置等讓民眾來了解欲傳達的展示知識，從過去單純的資料輸出轉而成為資訊的雙向傳達。博物館展示近幾年的改變能帶給觀眾不同以往的參觀經驗與學習意義，互動多媒體的展示方式正符合成為博物館與觀眾間雙向溝通的傳播工具。設計者成為發送者，數位媒體成為媒介的角色，觀眾成為接收者來達到互動的構成模式（黃抒繪，2008）。博物館展示亦嘗試運用各種媒材開發及創造更多可能性，透過不同的展示手法與方式，試圖得到大眾的認同，並改變早期如學校教育般的刻板印象，結合新的科技與媒材，讓參觀者能夠藉由戲劇性的故事串連展示，使

觀眾更能親近博物館展示的內容，將欲傳達的訊息真正傳達出來，讓知識及技術的傳遞與獲得有如遊戲一般，達到從做中學的理念（耿鳳英，2006）。

二、嚴肅遊戲之應用與發展

嚴肅遊戲是從數位遊戲、遊戲學習發展而來的，將數位遊戲應用在休閒娛樂之外的其他專業領域，即為所謂的「嚴肅遊戲」（宋倩如，2007）。林大維（2012）在「解析嚴肅遊戲中的藝術遊戲」一文中將嚴肅遊戲定義為：一種透過遊戲的手法，不以商業為導向；而透過嚴肅遊戲的類型傳遞或從中學習到某種概念與技術，將呆板的特定訊息之過程活潑化、趣味化、互動化，以達到特定的目的。葉永森（2015），引用 Botte 等人定義：「嚴肅遊戲的第一目標不是任何的娛樂、享受或樂趣」。因此嚴肅遊戲有特定之目的，最主要的根本是讓學習者經由遊戲的過程，將數位學習教材的知識內化，達到有效學習之目標。

嚴肅遊戲讓學習者主動參與具備規則性、挑戰性以及趣味性的活動，為了達成特定的遊戲目標，並從回饋當中獲得學習經驗。由於在學習過程當中具備趣味性和挑戰性，學習者可以獲得滿足感與成就感，同時在遊戲結束後，學習者亦能獲得知識的成長（陳似瑋、徐新逸，2009）。由此可知，「遊戲」與「學習」這兩個以往人們覺得毫不相關，甚至是衝突的名詞，到了現今社會中已經開始產生連結性，甚至在某些層面已經有了密不可分的關係（葉永森，2015）。可見將遊戲運用於教育用途，在這個科技日新月異之際，已經不是一件特別新鮮的事，「寓教於樂」這四個字，正好可以形容這一個潮流。

但是，如何將娛樂性的遊戲與嚴肅性的知識有效融合、有機平衡起來，是教育類嚴肅遊戲一直面臨的一個關

鍵問題。什麼樣的教育內容適合遊戲這種媒介載體也是一個問題。誠如素有嚴肅遊戲之父稱譽的諾阿·福斯坦（Noah Falstein）曾如此定義：嚴肅遊戲既非遊戲、也非嚴肅，二者兼而有之。這種遊戲不以娛樂為主要目的，而是採用寓教於樂的遊戲形式，讓用戶在遊戲過程中接受資訊，並獲得個性化、互動性和娛樂性極強的全新學習體驗，從而激發學習者的創造力和創新意識（王清麗，2010）。才能真正實踐「寓教於樂」「寓樂於教」的目的。

三、氣候變遷與十二年國教

聯合國跨政府氣候變遷小組推估，若世界各國不能有效抑制大氣中的二氧化碳濃度持續上升，那麼 21 世紀末的全球溫度將較 1990 年代再上升 1.1-6.4℃、海平面約上升 0.6 公尺，屆時可能會有數十億人口氣候變遷衝擊。綜上所述，更顯「氣候變遷」此一議題的重要性。我國高中課程綱要中總綱亦將「深植全球永續發展觀念」列為目標之一，國內所有各級學校的「課程目標」或「核心能力」中融入「永續發展」觀念，以提升學生永續發展素養。氣候變遷、環境教育成為重大議題，係屬「自然與生活科技」學習領域，深究其與「自然與生活科技」相符合的學習領域課題涵括的面向包括：自然界的組成與特性、自然界的作用、演化與延續、生活與環境及永續發展，簡言之，和地球科學、大氣科學、地理、物理、化學等知識領域互為相關。

此一涵括面向如此廣泛的議題，在博物館中，要如何彰顯其教育的功能，除透過傳統的展示手法之外，更將課綱中相關的知識，運用嚴肅遊戲的特性規劃設計出多媒體互動的展示單元，藉此來引發民眾參觀興趣，進而親近展示，了解展示，學習內容，同時亦呼應 Yusoff 等人則認為創建嚴肅遊戲，目的是為了要讓學習者在遊戲中獲得學習

的成就，在遊戲中獲得之虛擬獎勵能給予學習者正向且欲繼續深入學習之動機（葉永森，2015）。

參 . 個案探討：氣候變遷展示廳

一、建置緣起與背景

根據世界氣象組織統計自 1860 年有溫度測量記錄以來，全球十大最熱的年份，都落在 1995 至 2005 年之間。地球的平均溫度升高對氣候是一大浩劫，氣候變遷帶來的極端天氣現象，近十年來愈演愈烈。聯合國跨政府氣候變遷小組推估，若世界各國不能有效阻止大氣中的二氧化碳濃度的話，屆時因極端氣候造成的巨大天災而被迫成為無家可歸的環境難民。因此，科工館建置「氣候變遷」展示廳透過動手操作及感官體驗的展示手法，教導社會大眾以地球公民角度思考所肩負的環境責任，深化社會大眾對氣候變遷的認知，藉此提升國民對環境永續的知識與環境防災的能力。

圖 1. 為突顯融合科學、人文、藝術與教育的元素，以玉山（左圖地球後方）代表臺灣意象，以地球標誌全球觀點，期望帶給民眾全球觀與在地觀的氛圍，而這兩個情境造景，是以噴畫的方式來處理，此外也有藝術家以壓克力剪紙拼貼藝術創作「發現臺灣之美」作品（如下圖）上方蝕刻出臺灣北中南東不同的風土景觀及自然物種，在以多媒體互動為主的本展示當中，適時地傳遞展示美學。

本展示以反省的角度回顧過去，持謙卑的態度審視現在、以希望的行動前瞻未來。展示概分為 5 個區域，共有 52 個單元，13 個多媒體互動單元，2 段語音導覽、2 個劇場，1 間科學演示教室，以展板、實物、模型、互動、劇場及科學演示方式來規劃。本文主要探討本展示中導入嚴肅遊戲所設計之多媒體互動展示，如何透過「嚴肅遊戲」理論的運用，適切詮釋轉化氣候變遷相關議題？實踐科學展示教育活動之內涵，增加觀眾參觀經驗，藉此補足圖板、燈箱單向資訊的傳遞，增加觀眾參觀學習經驗，達到社會教育目的，同時進一步引發參觀者的社會關懷度與行動力的增強。

圖 2. 展示廳中以活潑、多元、可親方式來呈現有關氣候變遷相關主題內容，包括：圖板、模型、翻翻版、多媒體互動單元、劇場等。

圖 3. 本展示當中另設置氣候小講堂，於假日進行科學演示、影片欣賞或桌遊等活動，透過多樣活潑的科學教育活動強化本展示的廣度與深度。

二、展示架構與故事

科技部從 2005 年開始以專題計畫補助的方式每年辦理不同主題的「科學季」，在過往的幾年當中，其展示的設計方式都是採用多媒體高互動的方式來解釋展出主題的科學知識或科技發展，減少面板圖文方式的知識提供，彰顯

科學博物館教育的特色--鼓勵觀眾動手操作、強調互動與樂趣的展示特性。但如何達成科技與遊戲的兼容與平衡，妥善地將科普教育傳遞，避免流於玩樂。如同王瑜君(2011)在「災難，風險，環境變遷與價值選擇：後常態科學對博物館展示的挑戰」一文中談到，環境科學屬於後常態科學，不像一般的常態科學有標準化的定律，筆者同樣深知氣候變遷變動因素非常多元與複雜，研究成果與過程中常有爭議，對未來的預測充滿不確定，提出的解決方案不容易獲得共識，在這樣的挑戰下，如何設計出同時寓教於樂，寓樂於教？具備科學意涵的博物館展示呢？對於筆者而言，相信唯有堅實的展示架構、故事與內容，才有足夠的基礎來進行多媒體互動展示內容的詮釋轉化，以體現嚴肅遊戲的內涵，以下針對展示架構、內容與故事進行說明。

（一）展示架構

本展示概分為 5 個區域，以氣候變遷中最明顯的影響 - 全球暖化中的三大指標：溫度、海平面、高山冰河與極地冰雪快速融化勾勒出展示主軸，由此說明影響氣候變遷的因素，了解氣候變遷下所衝擊出的連鎖反應，包括：糧食、生態、公共衛生、降雨、水資源等等，先以全球觀的角度來耙梳展示內容，再以臺灣在地的現象來說明我們所面臨的四大危機。災難的常態化帶給臺灣什麼樣的影響？身處在臺灣的我們要如何面對這一個艱鉅的挑戰，引發民眾對此議題的在地關懷。人類還有扭轉的機會嗎？面對氣候變遷最重要的方法為調適與減緩，該如何從小處改變，透過尋找替代能源、節能減碳、國土規劃及能源相關政策來面對氣候變遷。本展示展示內容架構見圖 4。

（二）展示故事

展示故事來自於地球滅火隊，從尋找失落的第五元素

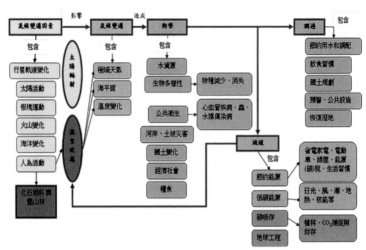

圖 4.氣候變遷」展示廳展示內容架構
（本架構由國立臺灣大學大氣科學系吳俊傑教授指導）

開始……，讓民眾走進本展示就像進入一座環境教育的主
題樂園，參觀的過程則是在完成一件拯救地球生態環境的
超級任務。為了達成這樣的任務進而提高民眾親近展示的
動力，本展示設計了一個與眾不同的參觀方式，參觀民眾
可以選擇宣誓加入地球滅火隊，便可索取拼圖卡，到指定
的多媒體互動單元中尋找「日、水、土、風、人」5 個元素
拼圖，成功過關者便可從本展示特別開發的拼圖卡貼紙機
自動送出「元素拼圖」，集滿 5 元素也代表著你對本展示
的內容有一定程度的了解，便可以搭上拯救地球的「行動
號 - 腳踏車」。這個將類似闖關方式融入常設展示當中，是
科工館的一個新的嘗試，提供民眾一個新的博物館參觀方
式，而這樣的參觀方式將學習內容以遊戲的方式來呈現，
加上多媒體生動的畫面，操作有趣的機構設施，引起參觀

民眾的學習動機，因為要獲得最後的獎勵，必須克服過程中的困難，著重知識和技能的學習，希冀將遊戲與學習妥適結合。

表 1.「日、水、土、風、人」5 元素拼圖對應本展示架構及分區，本研究自行整理

元素名稱	對應	展示架構	展示分區
日		1. 氣候變遷因素 - 太陽活動、行星軌道、火山變化等 2. 人為活動 - 化石燃料的使用 3. 人為活動產生的溫室效應 4. 氣候變遷影響 - 溫度變化	
水		1. 氣候變遷因素 - 海洋變化等 2. 氣候變遷影響 - 海平面等海洋問題 3. 衝擊之下的連鎖反應：水資源等	A 區：導入區 ~Hello，地球 B 區：必須面對的真相 C 區：臺灣的處境與危機 D 區：我們能做什麼－在當下與未來 E 區：你的期待？
土		1. 人為活動產生的溫室效應 2. 氣候變遷影響 - 溫度變化、海平面上升、極地冰雪改變 3. 衝擊之下的連鎖反應 - 國土改變等	
風		1. 衝擊之下的連鎖反應 - 河岸土地坡害等 2. 氣候變遷影響 - 極端天氣	
人		調適與減緩 - 個人、企業、國家如何落實	

三、嚴肅遊戲的運用

大多數研究者認為嚴肅遊戲具有以下兩個特徵：一是知識和技巧的轉換與加強；二是包含旨在改變社會或者個人行為的勸誘型技術和內容（劉瑾，2012）。而一個吸引人的嚴肅遊戲內在動機包含，如挑戰、好奇、控制、競爭、合作等，要能充分的利用才能激發興趣，讓學習者能夠主

圖 5. 認識溫室氣體多媒體互動單元。圖左方展座則為本展示特別開發的拼圖卡貼紙機，民眾過關成功後由機器自動送出貼紙。

圖 6. 遊戲中常需要的獎勵機制 - 本展示為【集滿 5 元素拼圖可以騎乘「行動號 - 腳踏車」】。

動使用和保持使用的時間。葉思義、宋昀璐（2004）於「數位遊戲設計：遊戲設計知識全領域」一書中提出，嚴肅遊戲在設計上須具備的三個重點，而筆者據此進一步轉譯並延伸出適合博物館互動展示的設計原則如下：1. 互動含挑戰性：用以激發興趣、2 內容須和諧性：數位內容之人事物及或科學、科技知識之轉換萃取具正確性及妥適性、3. 遊戲具娛樂性：數位內容要能吸引學習者持續關注，從頭玩到尾體驗完畢，完成任務取獎勵回饋。

　　本展示中的地球滅火隊任務以下列 12 個多媒體互動單元來貫穿，其中有 5 個單元過關後會獲得回饋 - 拼圖貼紙，而其他 7 個單元參觀者必須透過觀察、比較、模擬及體驗的方式來了解氣候變遷這個展示廳的主題內容，透過學習才能讓夠快速完成遊戲任務，獲得獎勵。以下針對 12 個多媒體互動單元其單元名稱、科學內容、軟硬體設備及導入嚴肅遊戲之特性及設計原則等進行整理，見表 2。

肆. 展示效果問卷調查設計

表 2. 本展示多媒體互動單元彙整表

項次	展示分區	單元名稱	元素拼圖	軟硬體裝置 / 互動方式	科學內容	導入嚴肅遊戲的特徵 / 設計重點
1	B-1 是天災？還是人禍？	米蘭科維奇玩轉地球	--	電腦、螢幕、動畫、機構裝置（旋鈕、LED仿太陽燈）。/ 先觀賞動畫再選擇欲觀察的三種變化現象。	米蘭科維奇循環，與地球繞日（太陽）運行軌道主要有三種變化，其影響地球接收到的太陽輻射量變化，造成冰期與間冰期的變化週期。三種變化分別為自轉軸傾角、軌道離心率、歲差。	■知識加強技巧轉換 ■改變型的勸誘型內容 □挑戰性 ■和諧性 □娛樂性
2	B-4 溫室效應與溫室氣體	認識溫室氣體	日	電腦、靜態圖像、觸控板、機構裝置（按鈕）。/ 九宮格回答問題連成一線。	介紹人為所製造的溫室氣體有哪些？其主要排放途徑為何？	■知識加強技巧轉換 □改變型的勸誘型內容 ■挑戰性 ■和諧性 □娛樂性
3	B-5 溫室氣體的增溫效應	地球變熱了!?	--	電腦、螢幕、動畫、機構裝置（打氣閥和旋鈕）。/ 選擇欲觀察的溫室氣體並打氣。	介紹溫室氣體有哪些，其增溫效果，生命週期以及對環境的影響得比較。	■知識加強技巧轉換 ■改變型的勸誘型內容 □挑戰性 ■和諧性 ■娛樂性
4	B-8 酸.鹼.鹽~改變中的海洋	溫鹽環流的奇幻旅程	--	電腦、oculusVR裝置、耳機，體驗溫鹽環流如何流經世界各國。	溫鹽環流為海水溫度、鹽度分布不均，造成密度不同所驅動的全球洋流循環系統，一次一次循環耗時大約 1,600 年。具有穩定全球溫度的功能。	■知識加強技巧轉換 □改變型的勸誘型內容 □挑戰性 ■和諧性 ■娛樂性
5	B-9 水上漂，與海爭地	同舟共遊航海去	水	電腦、投影機機構裝置（紅外線感測器、船槳）。/ 體驗海洋的重要，利用船槳回答(O/X)旅程中的問題。	海洋在全球氣候的調節和穩定上亦扮演非常重要的角色，因為有海洋調節氣候，地球才適合生物生存，以及碳循環的角色。	■知識加強技巧轉換 □改變型的勸誘型內容 ■挑戰性 ■和諧性 ■娛樂性

項次	展示分區	單元名稱	元素拼圖	軟硬體裝置/互動方式	科學內容	導入嚴肅遊戲的特徵/設計重點
6	B-10 空調當機，白色警戒	冰的反照率比較	--	電腦、透明螢幕動畫、機構裝置（移動式窗框）。/選擇欲觀察的比較不同的地球環境其反照率的差異。	海面上的冰層如同一面大鏡子，將來自太陽的大部分輻射反射回去。反之，沒有冰層覆蓋的海水將會吸收來自太陽的熱，使得海水溫度升高，使與之緊鄰的冰層加速融化。這種現象就是所謂的「冰反照率回饋」。	■知識加強技巧轉換 ■改變型的勸誘型內容 □挑戰性 ■和諧性 □娛樂性
7	B-10 空調當機，白色警戒	捕捉西歐兔搶救北極熊的家	土	電腦、投影機機構裝置（紅外線感測器、人工樹）。/利用人工樹裝置捕捉二氧化碳，讓北極的冰不再融化，北極熊得以生存。	極地的海冰就像地球的空調，可冷卻空氣及海水，影響全球洋流系統，還能將太陽的輻射反射回太空。但受氣候變遷，全球暖化的影響，科學家發現北極冰層從 1970 年代開始，不管是範圍或者厚度，都急速的縮減，逐漸喪失其功能。	□知識加強技巧轉換 ■改變型的勸誘型內容 ■挑戰性 ■和諧性 ■娛樂性
8	B-11 氣候變遷下的連鎖反應	氣候變遷下的連鎖反應	-	電腦動畫、觸控螢幕、機構裝置（紅外線感測器）。/以觸控螢幕的方式讓民眾了解氣候變遷帶來的連鎖反應。	氣候變遷除了直接反映在降雨不均、高溫等等的氣象學現象上，更會由此衍生層出不窮的問題，包括：地理學、農業、漁業、生物系統、公共衛生等等。	■知識加強技巧轉換 ■改變型的勸誘型內容 □挑戰性 ■和諧性 □娛樂性
9	C-9 天「極」難測?!變幻多「端」	換我報氣象	風	電腦、觸控螢幕、鏡頭、麥克風、AR 擴增實境裝置。/學習報氣象所需的流程。	了解進行氣象預報前 專業人員要進行的分析工作，包括：雷達資料、衛星資料、地面觀測資料、NWP 數值模式、輔助天氣圖等，輸入氣象資 電腦自動編輯系統裝置進行分析，再經過詳細討論過後，進一步推斷及預報未來的天氣。	■知識加強技巧轉換 □改變型的勸誘型內容 ■挑戰性 ■和諧性 ■娛樂性

項次	展示分區	單元名稱	元素拼圖	軟硬體裝置/互動方式	科學內容	導入嚴肅遊戲的特徵/設計重點
10	D-1 面對災難·人定順天	燒壞地球的6度C	--	電腦、螢幕、動畫、投影機、世界地圖素模、機構裝置(熱感應金屬球)。/透過動畫及互動讓民眾了解平均溫度上升1度到6度全世界的改變。	以圖像及數字投影出每增溫1℃全世界將發生的改變,包括二氧化碳濃度指標、冰河、雨林、海平面、物種、水源的變化。	□知識加強技巧轉換 ■改變型的勸誘型內容 □挑戰性 ■和諧性 ■娛樂性
11	D-6 水碳足跡知多少	天將危機~搶救糧食大作戰	--	電腦、投影機、動畫、Kinect、斗笠。/先觀賞動畫再找出解決糧食危機的對策。	氣候變遷造成土地漠化與耕地減少是造成糧食危機的原因之一。糧食是滿足人民基本生活需求的重要關鍵,如果基本需求都無法確保,社會秩序必然受到影響。找出造成氣候變遷或糧食危機的因子 並了解糧食危機的對策。	■知識加強技巧轉換 □改變型的勸誘型內容 □挑戰性 ■和諧性 □娛樂性
12	D-12 真相只有一個	氣候變遷小講堂	人	電腦、螢幕、靜態圖像、機構裝置(腳踏板)。/Q&A回答有關氣候變遷展示廳的內容。	以展示廳的內容為題庫進行知識大考驗,測試理解程度。	■知識加強技巧轉換 □改變型的勸誘型內容 ■挑戰性 ■和諧性 ■娛樂性

一、問卷設計

問卷內容包括三大部份,第一部份為對「氣候變遷展示廳的整體看法」共6題,分別為「整體表現」、「最滿

意本展那一部份」、「最不滿意本展那一部份」、「最喜歡哪一個多媒體互動單元」、「最不喜歡哪一個多媒體互動單元」及「本展示最大特色」。

第二部份為「本展示多媒體互動單元展示內容與手法滿意度」共7題問項，包括：「透過多媒體互動幫助我認識科學知識」、「多媒體比其他展示方法更能引起興趣」、「使用多媒體互動展示時，我會將節目內容看完」、「多媒體互動展示的遊戲是有趣的」、「多媒體互動能激發我完成5元素拼圖卡的決心」、「透過多媒體互動幫助我認識科學知識」、「多媒體互動展示有助於我對展覽主題的了解」及「使用多媒體互動展示後 我對科學現象了解更多」，衡量方式採取李克特(Likert)五點量表計分方式給予評等，分為1=非常不同意、2=不同意、3=普通、4=同意、5=非常同意。第三部份為受測者基本資料共7題，包括性別、年齡、教育程度、職業、居住地、和誰一起來、參觀過幾次科工館。

二、樣本與問卷收發流程

自105年6月9日至7月15日，進行問卷調查，調查的樣本數在要求99%的信心水準與5%的容許誤差下進行共發出543份問卷，淘汰答題不良問卷後有效問卷數為510份，有效率為93.92%。

三、資料分析方法

使用SPSS統計軟體為分析工具，將觀眾個人基本資料、滿意度、多媒體互動單元相關資訊調查，使用描述性統計以次數分配、百分比加以分析，了解各衡量變項之分布狀況並反映出原始資料之特性。此外，並以次數分配及百分比探討本展示在多媒體互動運用上的展示內容與手法滿意度。

伍. 展示效果問卷調查結果分析

一、對本展示整體看法

（一）本展示整體滿意度分析

97.1% 的受測者對本展示的整體表現抱持滿意的態度（65.7% 非常滿意，31.4% 滿意），其中填寫非常滿意滿意度達 6 成。進一步看受測者對本展非常滿意的部份，在列出的 4 項項目排行前三者為：「多媒體互動展示」（56.5%）、「展覽內容」（22.5%）、「展場設計規劃」（20.2%），而覺最不滿意的部分，將近 85.1% 的受訪者填答「沒有不滿意的」。

近 9 成的滿意度，同時有 5 成民眾認為本展示最大的特色為「策展方式新穎」（51%），這說明了讓受測者透過地球滅火隊的故事包裝，將溫室效應、海平面改變、冰雪的變化等與氣候變遷發生原因相關的知識遊戲化、娛樂化、

表 3. 在參觀今天的展覽後，您對本展示的整體表現 (n=510)

變數	題項	樣本數	百分比 (%)
在參觀今天的展覽後，您對本展示的整體表現	非常滿意	335	65.7
	滿意	160	31.4
	尚可	12	2.4
	不滿意	0	0.0
	非常不滿意	3	0.6

表 4. 您對本展示哪一部份最滿意 (n=510)

變數	題項	樣本數	百分比 (%)
您對本展示哪一部份最滿意	展覽內容	115	22.5
	展場設計規劃	103	20.2
	多媒體互動展示	288	56.5
	其他	4	0.8

表 5. 您對本展哪一部份最不滿意 (n=510)

變數	題 項	樣本數	百分比 (%)
您對本展示哪一部份最不滿意	展覽內容	15	2.9
	展場設計規劃	33	6.5
	多媒體互動展示	28	5.5
	沒有不滿意的	434	85.1

表 6. 您覺得本展示的最大特色是 (n=510)

變數	題 項	樣本數	百分比 (%)
您覺得本展示的最大特色是	策展方式新穎	260	51
	內容充實	145	28.4
	趣味生動	101	19.8
	其他	4	0.8

形象化，使遊戲參與者透過體驗互動來發現、觀察及了解地球存在的問題及如何從個人來實踐，這種以遊戲的形式傳達了一些很嚴肅的內容，使學生在潛移默化中接受，正是嚴肅遊戲理論所欲傳達的目標，而透過問卷的統計分析，都獲得正面且肯定的展示效果及滿意度。

（二）多媒體互動單元展示單元滿意度

　　本展示當中設計多項的互動單元，為了解受測者的滿意程度，針對 12 項單元，進行調查，最滿意的前三項多媒體互動單元分別為：「同舟共遊航海去」（33.3%）、「捕捉西歐兔 搶救北極熊的家」（20.8%）以及「溫鹽環流的

表 7. 您最喜歡本展示當中的哪一個多媒體互動單元？（僅選一項）(n=510)

題 項	樣本數	百分比 (%)
米蘭科維奇玩轉地球	29	5.7
地球變熱了 !!	12	2.4
認識溫室氣體	22	4.3
溫鹽環流的奇幻旅程	55	10.8

同舟共遊航海去	170	33.3
冰的反照率比較	14	2.7
捕捉西歐兔 搶救北極熊的家	106	20.8
氣候變遷下的連鎖反應	20	3.9
換我報氣象	49	9.6
燒壞地球的 6℃	16	3.1
天降危機：搶救糧食大作戰	8	1.6
氣候變遷小講堂	9	1.8

表 8. 您最不喜歡本展示當中的哪一個多媒體互動單元？（僅選一項）(n=510)

題項	樣本數	百分比 (%)
米蘭科維奇玩轉地球	36	7.1
地球變熱了 !!	30	5.9
認識溫室氣體	63	12.3
溫鹽環流的奇幻旅程	41	8.0
同舟共遊航海去	97	19.0
冰的反照率比較	10	2.0
捕捉西歐兔 搶救北極熊的家	29	5.7
氣候變遷下的連鎖反應	15	2.9
換我報氣象	93	18.2
燒壞地球的 6℃	56	11
天降危機：搶救糧食大作戰	12	2.4
氣候變遷小講堂	28	5.5

圖 7. 最喜歡也是最不喜歡的多媒體
互動單元：同舟共遊航海去。

圖 8. 溫鹽環流的奇幻旅程，運用 VR 技術引導觀眾潛入深海了解溫鹽環流擔任全球熱量的「交換機器」的重要角色，該單元場景設計為仿潛水艇造型。

奇幻旅程」（10.8％）。其中「同舟共遊航海去」雖然是最喜歡單元第 1 名，但是同時也是最不喜歡單元第 1 名，有 19％ 的受測者不喜歡，問其原因是，划船需要有體力、技巧及立即答覆問題的知識的能力，才能順利成功完成任務，屢次失敗無法過關，就把情緒轉化為不喜歡這個單元的原因。

二、多媒體互動展示內容與手法滿意度

為了解受測者對本展示多媒體互動展示內容與手法的滿意度，因此提出 5 個小項來調查受測者的滿意度，包括：具知識性、含趣味性、引發興趣、激發挑戰心及會持續完成互動單元的操作。其中「問答方式的互動能激發我完成 5 元素拼圖卡的決心」獲得 96.4％ 的認同度（同意加非常同意），其次為「多媒體互動展示能幫助我認識科學知識」（95.3％）及「多媒體互動展示的遊戲是有趣的」（94.1％）。從排名結果發現其與本展示預達成的展示效果 -「透過多媒體互動展示，增加觀眾參觀經驗」獲得參觀民眾很高的認同，同時也呼應葉思義、宋昀璐（2004）提出嚴肅遊戲在設計上須具備的三個重點，互動含挑戰性、內容須和諧性、遊戲具娛樂性，體現嚴肅遊戲的內涵 - 達成特定的遊戲目標，並從回饋當中獲得學習經驗。由於在學習過程當中具備趣味性和挑戰性，學習者可以獲得滿足感與成就感。

有 9 成 5 的受測者認為多媒體互動展示能幫助我認識科學知識，這也說明了科學博物館教育的特色 -- 鼓勵觀眾動手操作、強調互動與樂趣的展示特性，進而從中觀察到科學的現象 科學並提升其科學素養，讓遊戲與科普取得平衡。博物館展示的型態也隨著教育的多元化與生活化，讓學習科學知識不僅僅從學校方面獲得，我們可以在科學博物館中，透過親身體驗來了解科學現象與原理。

表 9-1. 多媒體互動展示內容與手法滿意度

變數	題項	樣本數	百分比 (%)
多媒體互動展示能幫助我認識科學知識	非常同意	306	60
	同意	180	35.3
	沒意見	23	4.5
	不同意	1	0.2
	非常不同意	0	0
多媒體互動展示比其他的展示方法更能引起興趣	非常同意	283	55.5
	同意	197	38.6
	沒意見	29	5.5
	不同意	1	0.2
	非常不同意	0	0
使用多媒體互動展示時，我會將節目內容看完	非常同意	256	50.2
	同意	192	37.6
	沒意見	62	12.2
	不同意	0	0
	非常不同意	0	0
多媒體互動展示的遊戲是有趣的。	非常同意	288	56.5
	同意	192	37.6
	沒意見	30	5.7
	不同意	0	0
	非常不同意	0	0
問答方式的互動能激發我完成 5 元素拼圖卡的決心	非常同意	318	62.3
	同意	174	34.1
	沒意見	18	3.5
	不同意	0	0
	非常不同意	0	0

三、觀眾基本資料

　　本次抽樣調查中，女性佔 54.9％高於男性的 45.1％，在觀眾年齡層部份，以 12 歲以下最多（40.0％），教育程度方面以國小（含）以下（40.2％）最多，與年齡分析相符合，年齡分析中次高為 30-39 歲（22.2％），在和誰一起來部份，多半是與家人同行（68.4％），同時年齡分佈可佐證和誰一起來之結果。

表 9-2. 受測者基本資料次數分配表 (n=510)

變數	題項		百分比 (%)
請問您今天是和誰一起來？	自己	13	2.5
	家人	349	68.4
	朋友（同學同事）	83	16.3
	學生團體	55	10.8
	旅遊團體（非學生）	6	1.2
	其他	4	0.8
請問您曾來科工館參觀過幾次？	第一次參觀	163	32
	二至四次	158	31
	5 次以上	189	37
請問您住在哪裡？	高雄	239	46.9
	臺南	73	14.3
	嘉義	22	4.3
	屏東	59	11.6
	其他	117	22.9
性別	男	230	45.1
	女	280	54.9
年齡	12 歲以下	204	40
	13-18 歲	74	14.5
	19-29 歲	58	11.4
	30-39 歲	113	22.2
	40-49 歲	52	10.2
	50-59 歲	5	0.9
	60 歲（含）以上	4	0.8

教育程度	國小以下	205	40.2
	國中	43	8.4
	高中職	54	10.6
	大學專	167	32.7
	研究所以上	41	8.1
職業	學生	306	60
	工	33	6.5
	商	32	6.3
	公	14	2.7
	教	47	9.2
	軍	3	0.6
	自由業	22	4.3
	無	17	3.3
	其它	36	7.1

陸．結論與建議

　　透過問卷調查的結果，顯示本展示在規劃之初所提出透過嚴肅遊戲的運用來傳達與人類未來永續發展息息相關的嚴肅議題，實踐科學展示教育活動之內涵，同時藉此補足展示給人嚴肅無聊的諸如圖版燈箱的介紹，增加觀眾參觀經驗，都是呈現正面且肯定的結果。耿鳳英（2006）博物館展示的改變虛與實：新世紀的博物館展示趨勢一文中指出，新世紀中博物館展示的新趨勢不再只限於知能的傳遞，更要具有創新的視覺效果、休閒及娛樂的效應、造成輿論與話題的氣勢及地域文化的獨有特質，這些要素如何透過新科技的運用，在博物館展示內容及應用上得以兼顧，達到博物館展示的訴求意圖及大眾樂於參與的最終目的，都是未來努力的目標。唯有讓民眾喜歡來博物館，樂於親近展示，才有機會了解展示，獲取知識，達到教育的目標，博物館的展示才有其存在的價值和與眾不同的魅力。

　　綜合前述之調查結果，提出以下結論與建議：

一、落實「寓教於樂」「寓樂於教」的展示目標

科技的日益發展，其所延伸的功能應回歸人類的知識教育上，博物館的身分與角色不應只是陳列或研究，它是新舊知識發揚的教育場所，是普羅大眾學習探索的窗口（黃抒繪，2008）。漢寶德館長曾經說過：展示可以和學術相關但並不是學術也不是教科書。博物館展示與一般商展最大不同點之一，就是前者有深入的研究基礎，在本展示中透過表1及圖1可以看出其堅實的研究基礎，再配合多媒體新科技的運用，將研究成果科普化，轉換成為一般民眾能理解的語彙，獲得 97.1% 的受測者對本展示的整體表現抱持「滿意」，94.1% 認為「多媒體互動展示的遊戲是有趣的」及 5 成同意本展示最大的特色為「策展方式新穎」，這個調查結果也回應本文所要探討的第一個問題，透過多媒體互動展示的運用，以新型態多元的展示手法方式來塑造民眾新的參觀經驗，有機會落實「寓教於樂」「寓樂於教」的展示目標。

二、科普與遊戲的相容瓶頸

遊戲是人的天性，其實日常教育中也包含很多遊戲的因素。把娛樂性與教育性結合起來。相信會讓知識學習變得事半功倍。本展示是以地球滅火隊為故事包裝，參觀民眾以這樣的角色在展示當中探索 -- 具有娛樂性，尋找 5 元素拼圖時必須具有一定的知識才能順利過關 -- 具有教育性，成功的嚴肅遊戲其實和娛樂遊戲往往有很大程度的相似性，是一體的兩面，是透過各自的優勢來互補以產生良好的科普效果。從問卷中發現 96.4% 受測者認為「問答方式的互動能激發我完成 5 元素拼圖卡的決心」，9 成 5 的受測者認為多媒體互動展示能「幫助我認識科學知識」，回應本文所要探討的第二個問題，參觀民眾透過活潑化、趣味化、

互動化的展示單元設計，增進本展示欲傳播的科學意涵，對提升科學素養是有幫助的。

三、觀察法的施行，擴大信效度

本文受限於時間上的壓縮，僅以問卷調查的方式探討問題，建議可以「行為觀察法 - 非參與式觀察法」，在不干擾觀眾參觀的前提之下，追蹤觀察觀眾在展示廳的行為，如觀看多媒體互動展示的行為、涉入狀況、閱讀程度或停留時間等，以獲知觀眾與展示單元之間互動的情形。除以問卷的結果分析問題外，可再補充觀眾本身的參觀動機、收穫、做了什麼、為什麼這樣做、和此經驗有何意義等項目，如此可加強詮釋實地了解觀眾的參觀行為。

IV. 博物館科學演示活動學習成效個案分析～以「認識氣候變遷」為例

壹．個案緣起與背景

根據世界氣象組織統計自1860年有溫度測量記錄以來，全球十大最熱的年份，都落在1995至2005年之間。地球的平均溫度升高對氣候是一大浩劫，氣候變遷帶來的極端天氣現象，近十年來愈演愈烈。聯合國跨政府氣候變遷小組推估，若世界各國不能有效阻止大氣中的二氧化碳濃度的話，那麼21世紀末的全球溫度將較1990年代再上升1.1-6.4℃、海平面約上升0.6公尺，屆時將會有數十億人口因水源枯竭面臨缺水危機，甚至因極端氣候造成的巨大天災而被迫成為無家可歸的環境難民（王蕓瑛、蘇芳儀，2010）。

有鑒於「氣候變遷」此一兼具全球化及在地性的議題，近年來受到各先進國家政府持續地關注，因此，國立科學工藝博物館（以下簡稱科工館）接受行政院國家科學委員會之專案計畫補助，規劃一長達5年的常設展示廳，期望透過情境塑造、動手操作及感官體驗的展示手法，趣味多元及寓教於樂的設計包裝，將「氣候變遷」此一主題以在地觀、全球觀的方式呈現，教導社會大眾以地球公民角度思考所肩負的環境責任，深化社會大眾對氣候變遷的認知，藉此提升國民對環境永續的知識與環境防災的能力。本常設展示在展示設計上用反省的角度回顧過去，持謙卑的態度審視現在、以希望的行動前瞻未來。整個展示概分為5個區域，共有52個單元，15個多媒體互動單元，2個劇場，1間科學演示教室，以展板、實物、模型、互動、劇場及科學演示方式規劃本展。

博物館的展示與科教通常是一體的兩面，多樣活潑的科學教育活動可以強化展示的廣度與深度，也可以彌補展示的不足（張崇山，2004）。黃淑芳（1997）在所著的「現代博物館教育理念與實務」一書中，也是以這三大類為基礎來探討國內外博物館教育活動實況，其中演示活動（或稱為示範表演）可說是最為吸引觀眾之教育活動（秦裕傑，1996）；因此，這次在「氣候變遷」展中所執行的「認識氣候變遷」科學演示，正是期望藉由演示活動實踐科學教育活動之內涵，強化民眾對展示內容的認知與了解，以7個科學小實驗搭配簡報、模型、圖表及影片帶領民眾認識影響「氣候變遷」的原因，活絡展廳之活動，讓展示更加多元化。

　　本文期望透過參加「認識氣候變遷」科學演示的觀眾進行學習成效的調查研究，以便了解參與演示活動前後，對於氣候變遷知識的認知以及觀念上是否有所改變，以做為科工館日後修正展示內容或相關導覽規劃之依據，同時也提供政府相關單位擬定環境教育課程之參考。

貳. 文獻探討

一、科學演示

　　「演示」是較早就出現的一種輔助課堂教學的手段，由於它符合「從直觀到抽象的思維，再從抽象的思維到實踐」這個認知規律，因此受到了不少教育家的推崇和教師的運用。隨著科技的發展，現代多媒體技術進入教學領域，不僅對教學方法起了較大的推動作用，同時，也使演示的內容更趨於多樣化和生動化，為演示教學開拓了新的領域。（王紅霞，2010）。

　　「科學」是一門以實驗為基礎的綜合性學科，它與其

他理論性、理解性學科最大的不同，在於傳統講授式的教學方式並不能將科學知識完全傳遞給學生，要想使學生願意聽、仔細聽、能理解、能運用各種科學公式、科學定義與規律，演示（實驗）教學無疑是最佳選擇。（金小娜，2012）。演示（實驗）教學一直以來都是國中科學教育教學過程中的一個關鍵教學手段，其不僅能使學生對各種科學概念、變化規律建立起直觀、深刻的認識，同時也為學生在今後科學學習過程中的自主探究式實驗提供範本與規範。

而將演示（實驗）教學這種概念帶入博物館成為科學教育活動的一項，則是由德意志（Deutsches Museum）博物館首創，當時是透過發明家原創的儀器和機器模型演示等方法，以各階層民眾所能了解的方法展示，其目的在教導學生、工人、以及一般社會大眾有關科技在生活上的種種應用和功能（桂雅文，1999）。全世界的科學博物館中，約有三分之一舉辦「科學演示」的教育活動，通常是由演示者在臺上，以科學「道具」對觀眾演示科學的原理或其實際的運用，宗旨是想藉著生動的臺詞，戲劇性的效果，加強觀眾對科學的認識及興趣（張譽騰，1987）。

徐純（2000）認同因為博物館不是學校，觀眾可能只是看看，找些「興奮的」事物，而不是來了解知識。根據一般性科學展示的統計，在 150 件展出物件中，可以激發觀眾興趣的大概只有一件，觀眾所獲得的小小知識只會在他們的思想上產生些許的變化，所以博物館可以多利用教育活動吸引觀眾的注意力，喚醒觀眾想知道的慾望，例如：以科學演示詮釋科技新知，更能夠引起觀眾想像與好奇心，使博物館的科學教育成為獨特的學習方式。

二、學習成效

學習成效可以定義為：學生經由一系列教學活動歷程結束後對某種領域之知識達成某種特定程度（林長義，2011），劉興郁、林盈伶（2006）認為學習成效是在學習的動作告一段落之後，對學習者實施各種類型的評量測驗，並由評量測驗的結果便可瞭解到學習者對於學習內容的理解度多寡，包括學習者本身的學習認知及經由學習後能應用於工作上的程度。Piccoli 等（2001）認為學習成效指於教學結束後，學習者在認知、情意及技能上的改變，也是完成學習後，針對期能力改變或者成就上的判斷，也是教學品質評估中最主要的項目之一，學習成效會受到學習型態、課程設計、教學等因素影響（蘇雅君，2003）。

　　學習成效是指學習者於參與活動一段期間後，在某種形式之評量上的表現。就評量的時間而言，可能是形成性評量，也可能是總結性評量；就評量工具而言，可能是客觀正式的、標準化的成就測驗，也可能是由老師或者學習者主觀、非正式的認知；就學習成效指標而言，可能是成就測驗上的得分或學習成績，也可能是某種行為上的改變（李麗香，2004）。

　　通常學校教育中的學習成效是教師用來瞭解學習目標是否達成的重要指標，但學習成效是不易清楚界定的。有些可能是指成就測驗的得分或學業成績，也可能指某種行為上的改變，往往是根據教學者或學習者個人主觀意識決定。一般客觀係指學習活動告一段落後，透過教師的標準化的客觀測驗及作品的評量等方式，對學習者所進行某種型式的評量，以瞭解學習活動所達成的效果，或說經過學習歷程後所帶來的轉變。（許婉宜，2007）。

　　本研究之學習成效之操作性定義，是指參與完「認識氣候變遷」科學演示的觀眾，活動前後對於「氣候變遷」

知識上的認知、觀念是否有所改變效果，重視學習後的各項知能增長與成果分享。

表 1 學習成效定義

學者	定義
2001 Piccoli 等	認為學習成效指於教學結束後，學習者在認知、情意及技能上的改變，也是完成學習後，針對期能力改變或者成就上的判斷。
2003 蘇雅君	學習成效會受到學習型態、課程設計、教學等因素影響。
2003 Young and Murphy	可視為學生對於其整體知識獲得、技巧和能力之成果，並可從此課程到其他課程延伸與應用。
2004 李麗香	學習成效是指學習者於參與活動一段期間後，在某種形式之評量上的表現。就評量的時間而言，可能是形成性評量，也可能是總結性評量；就評量工具而言，可能是客觀正式的、標準化的成就測驗，也可能是由老師或者學習者主觀、非正式的認知；就學習成效指標而言，可能是成就測驗上的得分或學習成績，也可能是某種行為上的改變。
2006 劉興郁、林盈伶	是指在學習的動作告一段落之後，對學習者實施各種類型的評量測驗，由評量測驗的結果便可瞭解到學習者對於學習內容的理解度多寡，包括學習者本身的學習認知及經由學習後能應用於工作上的程度。
2007 許婉宜	通常學校教育中的學習成效是教師用來瞭解學習目標是否達成的重要指標，但學習成效是不易清楚界定的。有些可能是指成就測驗的得分或學業成績，也可能指某種行為上的改變，將根據教學者或學習者個人主觀意識決定。一般客觀係指學習活動告一段落後，透過教師的標準化的客觀測驗及作品的評量等方式，對學習者所進行某種型式的評量，以瞭解學習活動所達成的效果，或說經過學習歷程後所帶來的轉變。
2007 蔡華華、張雅萍	是判斷學習成果的指標，為了讓學習者知道自己的學習狀況，並作為學習者與授課者改善的依據。
2008 許淑婷等	是呈現學生在校期間所接受到的技能與態度的養成，而其中真正的重點在於態度而學習成效是衡量學生學習過程中達成的效果。

學 者	定 義
2011 林長義	學習成效可以定義為「學生經由一系列教學活動歷程結束後對某種領域之知識達成某種特定程度」。

資料整理：筆者自行整理

三、氣候變遷

　　所謂氣候變遷是指氣候長時間（幾十年或幾百年，甚至上千年以上）的大氣趨勢演變，其造成的因素相當多，過程更是複雜，涵蓋的層面也相當廣泛，是一個充滿了不確定性的科學議題。從自然角度來看，地球自轉軸的傾斜角、日 - 地關係、太陽輻射能量、火山爆發、板塊漂移、地形變動等，都是影響氣候變化的重要因素。從人為方面來看，經濟活動所造成的大量廢氣、煙塵物質，土地利用變遷，以及人類的各項活動造成超量的溫室氣體排放，都影響全球氣候（涂建翊、余嘉裕、周佳，2003）。聯合國跨政府氣候變遷小組（以下簡稱 IPCC，Intergovernmental Panel on Climate Change）推估，若世界各國不能有效抑制大氣中的二氧化碳濃度持續上升，那麼 21 世紀末的全球溫度將較 1990 年代再上升 1.1-6.4℃、海平面約上升 0.6 公尺，屆時可能會有數十億人口因氣候變遷衝擊，造成巨大災害，甚至有些人被迫成為無家可歸的環境難民（聯合國跨政府氣候變遷小組，2007）。

　　面對氣候變遷需要積極的新思維，最主要的課題正是緩解和調適，因此，聯合國在 1989 年成立了「聯合國跨政府氣候變遷小組」的組織，長期觀察研究，定期向大家報告地球氣候的狀況，分別在 1990，1995，2001，2007 年提出共 4 次的氣候變遷評估報告。在 1992 年，世界各國代表在巴西里約召開「第一次地球高峰會」通過「氣候變化

綱要公約」，其目的就是要降低大氣中溫室氣體的濃度來保護地球。

　　為了要使承諾達到實際的效用，因此國際社會開始有了要制定具有法律效力的議定書，所以在 1997 年於在日本京都簽署了「京都議定書」，其具體做法是規範各簽署國 6 種　室氣體的排放要降到 1990 年的標準，並自 2005 年 2 月 16 日開始實施至 2012 年停止，希望一同減緩溫室效應對全球環境所造成的影響。有鑒於「京都議定書」即將屆滿，因此 2009 年召開了「哥本哈根會議」決定 2012 年至 2017 年全球的減排協議，經過了近 10 天的會議，通過了「哥本哈根協定」，要求全球暖化程度應控制在攝氏兩度內，並在科學及公平基礎上採取行動以達成目標；同時應結合國際協助對易受到氣候變遷衝擊國家建立一個全面調適計畫。

參.科學演示教案實施內涵

一、設計方式

　　秦裕傑（1996）亦指出現代博物館中最吸引觀眾的教育活動就是科學演示。而科學演示的傳達（communicate）是雙向（two-way）的溝通，能夠促進博物館展示與觀眾之間的互動，其目的就是希望藉由有主題組織的科學重點，及實驗器材的輔助，讓觀眾能從中獲的科學性知識並滿足其參觀目的（王蕓瑛，2001）。因此在發展本次演示教案時，期望充分掌握這項教育活動的優點。

　　根據統計，演示的方法通常有以下幾種方式（王紅霞，2010）

　　（一）實物、標本、模型的演示

實物、標本和模型的演示，無非是為了方便學生充分感知教學內容所反映的主要事物，瞭解其形態和結構的基本特徵，獲得對有關事物的直接的認識。這類演示在科學教學中可謂比比皆是。

（二）圖表的演示

圖表是科學教學中常用的一種教學輔助手段。它們不但直觀，而且使用起來靈活方便。一般包括兩類：一類是正規的印刷掛圖，一類是教師自製的簡略圖、設計圖、結構圖、分類圖、表格圖等。

（三）實驗演示

觀察和實驗是科學研究的基本方法。在科學教學中，學生對於概念的獲得，都需要建立在它們的基礎之上，以獲得具體的的認識，這是他們掌握知識的開端。這裏所說的實驗演示是指主要由教師操作，並通過教師的啟發引導，幫助學生對實驗進行觀察思考，以達到一定教學目的的實驗教學方式。演示實驗教學在科學課堂中得到充分應用。有時還可以對學生分組實驗和教師演示實驗進行調整，以求得最好的教學效果。

（四）多媒體演示

多媒體演示是指利用電腦、投影機、DVDplayer 等現代化視聽器材，搭配相關動畫或者影片進行的教學方式，通常應用的是教學課件。這類演示能使教學內容得到充分表達，有助於激發學生的學習動機和集中學生的注意力，加深學生對知識的理解。

而「認識氣候變遷」科學演示的教案設計就依據上述四個方式做不同比例的調配，因為博物館場域和學校是不同的，參觀的民眾年齡層廣泛，所以必須透過整合式的教

案設計，較容易引起參觀者的注意，進而吸引他們參與，同時依據演示技能運用的特點，拿捏一定的演示原則，以期作最大效度的發揮。

二、教案架構

在氣候變遷中影響最明顯的現象便是全球暖化。全球平均溫度上升、海平面高度上升與極地冰雪及高山冰河減少產生變化，這三項指標正是氣候暖化的重要證明，因此「認識氣候變遷」的科學演示就以這三個指標作為架構核心，發展相關演示方式並搭配適當之實驗方法。以下為本教案的設計架構。

「認識氣候變遷」教案架構

三、教案內容

依據上述的教案架構，進行教案內容的撰寫與發展，包括：活動目標、科學原理、實驗操作方式以及使用的器材與設備。

（一）活動名稱：「認識氣候變遷」

（二）活動主題：透過科學小實驗帶領民眾認識影響造成「氣候變遷」的原因與對地球環境造成的影響。

（三）活動目標：

活動項目	活動目標	科學原理
造雲者傳說	了解雲的形成	一團含水汽的空氣如果受熱而上升，因氣壓減少（氣壓隨高度而遞減）而膨脹、降溫，稱此為絕熱膨脹冷卻。本實驗乃應用此原理，讓保特瓶內不飽和的濕空氣經壓縮，致使瓶蓋突然彈開（近似絕熱過程），瓶內氣體因突然膨脹對外作用、降溫達到零點，就會產生微小水滴，形成雲霧。
超級比一比：二氧化碳 V.S 氧氣	了解二氧化碳與氧氣的化學性質	小蘇打與醋反應會產生二氧化碳，而二氧化碳不會助燃；雙氧水與二氧化錳反應則產生氧氣，氧氣助燃。 小蘇打與醋化學反應式如下：$CH_3COOH + NaHCO_3 \rightarrow CH_3COONa + CO_2 + H_2O$ 雙氧水在常溫下以二氧化錳為催化劑，立即分解成氧氣與水。 $$2H_2O_2 \xrightarrow{\text{MnO}_2} 2H_2O + O_2$$ 雙氧水是過氧化氫的水溶液，性質不安定，受熱易分解生氧；若在常溫下加入催化劑二氧化錳，則不需加熱，即可分解生氧氣。

活動項目	活動目標	科學原理
超級比一比：二氧化碳的增溫效果	溫室氣體的增溫效應	大氣中主要成份為氮（77.56%）和氧（約21%），都是由2個原子組成1個分子，這種氣體分子靠"振動"運動，也就是兩個原子不斷拉近、離遠；但這類分子要吸收較高能量的藍光、紫光或紫外光才能運動，不會吸收紅外光。由3個以上原子組成的分子（例如二氧化碳），除振動還會"滾動"，分子滾動所需能量較小，因此3個原子以上的分子，會吸收大氣中能量較低的紅外光，產生滾動。 當氣體因受熱而振動或滾動時，不斷碰撞器壁導致壓力上升，根據理想氣體方程式 $PV=nRT$，其中 P 表示壓力；T 表示溫度，當壓力上升時，溫度也會上升。
誰最生氣	了解二氧化碳會讓溶液變酸	利用酚酞指示劑在 10.0-8.2 會由粉紅色變成無色，說明我們呼出的氣體含有二氧化碳，二氧化碳溶於水時變成酸性。
陸冰海冰大不同	了解陸冰融化會讓海平面上升	海冰的體積其實本身就算在海洋的體積中了，即使融化海平面也不會上升；反觀陸冰的體積並沒有算在海洋中，一旦融化，就如同在原本的海中再倒入大量的水，海水上升的幅度會很大。 浮力＝物體在液體中所減輕的重 　　＝物體所排開液體的體積 × 液體密度 　　＝物體所排開的液體重
北極的冰	了解北極覆冰正在減少	利用簡易的微分概念瞭解北極覆冰減少的量。
物體的反照	了解冰的反射效果比石頭與樹葉好	反照率通常是指物體反射太陽輻射與該物體表面接收太陽總輻射的兩者比率或分數量，也就是指反射輻射與入射總輻射的比值。反照率與反射係數及輻射波長都有密切關係，而通常也與可見太陽光譜作比較。

（四）主講人與活動所需人力：1 人。

（五）活動所需時間：60 分鐘。

（六）對象：國小高年級以上、一般民眾。

（七）活動器材與教具：

類別	名　稱	備註
材料	保特瓶、線香、吸管、熱（冷）水、冰塊、樹葉、石頭、廣口瓶（250ml）、燒杯（2000ml、250ml、50ml）、分液漏斗、L型管、橡皮軟管、鎢絲燈、透明壓克力箱、杯子、酒精燈、石棉芯網、三腳架。	
藥品	小蘇打粉、醋、雙氧水、二氧化錳、酚酞、酒精。	
設備及儀器	電腦、投影機、溫度計探針、照度計。	

（八）活動內容及時間分配：

活動項目	活動內容 / 實驗方法	配合器材	時間
造雲者傳說	1. 在保特瓶中加入 1-2 公分高的熱水。 2. 將瓶子傾斜，讓煙慢慢飄進瓶內。 3. 蓋上瓶蓋，恆放寶特瓶，輕輕轉動瓶子讓水溼潤內壁。 4. 把瓶子擺正，放在有陽光的窗口或燈光下，擠壓瓶子一會兒鬆手。	保特瓶、溫水、線香	5 分鐘
超級比一比：二氧化碳 V.S 氧氣	1. 在廣口瓶 1 號中加入小蘇打與醋 2. 在廣口瓶 2 號中加入雙氧水與二氧化錳。 3. 讓觀眾拿線香伸到廣口瓶中，1 號瓶線香熄滅，2 號則相反。	小蘇打、醋、雙氧水、二氧化錳、廣口瓶、線香	10 分鐘
超級比一比：二氧化碳的增溫效果	1. 準備一水盆或水箱，加入約 5 公分高的水，將裝滿水的保特瓶倒立在水箱中。 2. 在廣口瓶中加入小蘇粉，塞上兩孔並有 L 型管與分液漏斗的橡皮塞，並在分液漏斗中加入醋。將橡皮軟管接上 L 型管。 3. 將軟管另一端放入倒立的寶特瓶中。 4. 轉開分液漏斗的閥，使醋滴入與下方小蘇打反應產生二氧化碳。 5. 將溫度探測器分別放入裝滿二氧化碳與空氣的寶特瓶中。 6. 用電燈將兩個寶特瓶加熱。1 小時候可觀察到兩個寶特瓶溫度不同。	保特瓶×2、燈、溫度計探針×2、小蘇打粉、醋、水、透明壓克力箱×2、分液漏斗、L 型管、橡皮軟管、投影機、電腦	10 分鐘
誰最生氣	1. 0.1g 小蘇打溶於 50ml 的熱水。 2. 加入約酚酞。 3. 調勻後靜置約 5 分鐘。 4. 插入吸管，請觀眾吹氣直到變色。	小蘇打、酚酞、蒸餾水、吸管、杯子	10 分鐘

活動項目	活動內容／實驗方法	配合器材	時間
陸冰海冰大不同	1. 準備一個杯子裝入熱水與冰塊，並在杯子上套上橡皮筋，紀錄水面高度後用酒精燈組加熱，代表海冰。 2. 準備一大一小燒杯，小燒杯放入石頭作為陸地，再放入加水的大燒杯中。然後於小燒杯中投入冰塊，用橡皮筋重新紀錄高度，代表陸冰。 3. 陸地冰融化後會掉入水面，海冰融化的變化，對照觀察兩者水位高度變化。	燒杯×3、小石頭、熱水、碎冰、酒精燈、石棉芯網、三腳架	10分鐘
北極的冰	1. 先展示兩張圖片，比較兩張圖片差異。 2. 在圖片上覆上透明網格。 3. 計算 1982 北極覆冰大約有幾格。 4. 計算 2008 北極覆冰大約有幾格。	投影機、電腦	5分鐘
物體的反照率	1. 將石頭放在燈的正下方。 2. 將照度計探測頭朝上，測量燈的照度。 3. 將探測頭朝下，測量石頭的反照度，並紀錄。 4. 重複步驟 1-3（放樹葉及冰）。朝下測量反照時，需注意照度計在同一位置。	照度計、燈、大冰塊、樹葉、石頭、投影機、電腦	5分鐘

表 2「認識氣候變遷」科學演示教案

肆.「認識氣候變遷」科學演示個案調查設計

一、問卷設計

為了解參觀民眾在參加科學演示前、後對氣候變遷的認知率是否改變，藉此了解其學習成效，本次的問卷設計除與演示內容相稱外，也與展示廳的內容及單元互相配合（見表二，問卷見附件），採用封閉式（選擇題）與開放式的問卷設計，以期讓受測者更能在科學演示當中得到本演示所要傳遞的正確知識，以利學習成效影響之評估。問卷內容包括三大部份，第一部份共 13 題，包括「演示內容」

及「認知觀念」，有 10 個問題是單選題，「有」正確答案（題項 1~10），3 個問題「無」正確答案偏重認知以及觀念的問題（題項 11~13），題項涵括：了解天氣與氣候的不同、了解二氧化碳與氧氣的化學性質與增溫效應、了解二氧化碳會讓溶液變酸、了解南極陸冰融雪會讓海平面上升、了解北極的重要性以及功能、影響你愛地球的觀念嗎？重視氣候變遷嗎？等，第二部份開放式問題，主要在了解受測者最喜歡的演示單元及其原因共 2 題（題項 14、15），第三部份為個人基本資料共 7 題，包括性別、年齡、教育程度、居住地。

項次	問卷題目	配合演示單元	展現科學內容摘要
封閉式（選擇題）			
1	請問「竹風蘭雨」，基隆是「雨都」是形容？	造雲者傳說	了解天氣與氣候的不同
2	您知道天氣和氣候的不同在哪裡？	造雲者傳說	了解天氣與氣候的不同
3	您知道要形成天空中的雲除了水氣之外，還需要什麼？	造雲者傳說	了解天氣與氣候的不同
4	請問下列哪一項敘述是二氧化碳的特性？	超級比一比	1. 了解二氧化碳與氧氣的化學性質 2. 溫室氣體的增溫效應
5	您知道二氧化碳溶於水中，會讓水有什麼變化？	誰最生氣	了解二氧化碳會讓溶液變酸
6	下列哪兩種藥（食）品混合後的化學反應會產生二氧化碳？	超級比一比	了解二氧化碳與氧氣的化學性質
7	請問酚酞指示劑遇到鹼性物質會呈現什麼顏色？	誰最生氣	了解二氧化碳會讓溶液變酸
8	請問以下對「海平面上升」的敘述何者是正確的？	陸冰海冰大不同	了解南極陸冰融雪會讓海平面上升
9	在氣候變遷的影響中，最明顯的便是暖化，下列哪些現象可以證明暖化正在發生？	超級比一比	溫室氣體的增溫效應

項次	問卷題目	配合演示單元	展現科學內容摘要
10	請問下列物質中誰的反照率最好？	北極的冰 物體的反照	北極的重要性及功能
11	請問您認為參加「認識氣候變遷」科學演示，會讓你更了解氣候變遷的相關知識嗎？	整個演示	透過演示了解氣候變遷
12	請問您認為參加「認識氣候變遷」科學演示，會影響你愛地球的觀念嗎？	整個演示	
13	請問您認為參加「認識氣候變遷」科學演示，會讓你重視氣候變遷嗎？	整個演示	
開放式			
14	在「認識氣候變遷」為主題的科學演示中，您最喜歡哪一個單元？（請參與完再填寫）	整個演示	透過演示了解民眾喜歡的單元及其原因
15	承上題，為什麼？（同上）	整個演示	

二、本研究限制

　　本研究對象是針對所有參加過「認識氣候變遷」科學演示的民眾，其科學性知識的獲取成效為何。調查時間長達半年以上，因此無法由同一位演示人員完全負責演出，所以本次的調查研究委由 5 位不同的人員輪流擔任演出，並針對這 5 位演示人員進行教育訓練以及演示討論，以期達到演示內容、表演方式以及器材操作上的一致性。但是，人員的特質以及表演的方式仍有機會影響演出的過程，進而造成調查上的結果差異。（王蕓瑛，2001）

三、樣本與問卷資料收發流程

　　本問卷以參加過「認識氣候變遷」科學演示的參觀民眾為研究對象（以下稱為受測者），由「認識氣候變遷」科學演示人員於受測者參加演示前先發放前測問卷，參加

演示完畢後再填寫後測問卷，而前後測問卷的題項是一樣的。總共發放前、後測問卷份數各為 533 份，問卷施測期間從 2011 年 3 月至 2011 年 10 月，淘汰答題不良問卷後，有效問卷數為 517 份，有效率為 97%。

四、資料分析方法

使用 SPSS 統計軟體為分析工具，將個人基本資料，使用描述性統計以次數分配、百分比加以分析，了解各衡量變項之分布狀況並反映出原始資料之特性。其次，本次前後測問卷所受測者，前後是同一批人，而進行此問卷調查主要想了解參加科學演示前、後對氣候變遷的認知率是否改變，藉此了解其學習成效，因此使用 McNemar 分析（即相依樣本的卡方檢定），主要檢測兩相依樣本（即相同的人，在不同時間做測量或配對資料），適用於兩個關聯樣本的資料，其中將 X 與 Y 相關的名目變項以（0）與（1）兩種類型來表示，在檢定的過程中，整理成 2×2 的列聯表，以進行檢定分析，其分析結果檢定統計量精確顯著性（雙尾）P 值＜ 0.05，表示受測者在參加演示前、後對氣候變遷的認知學習成效有顯著差異。

伍.個案調查結果分析

一、基本資料分析

本次抽樣調查中（表 3），女性佔 55.7 ％略高於男性的 44.3 ％，在觀眾年齡層部份，以 18 歲以下最多（35.2 ％），教育程度方面以大學（專）（34.2 ％）最多，居住地以高雄市比例最高（63.1 ％），職業的部分以學生的 40.4 ％為最多，在和誰一起來部份，多半是與家人同行（46.8 ％），超過 5 次以上參觀科工館比例最高（47.8 ％）。

項目	選項	人數（人）	百分比（%）
性別	男	229	44.3
	女	288	55.7
年齡	18（含）以下	182	35.2
	19-29 歲	72	13.9
	30-39 歲	107	20.7
	40-49 歲	100	19.3
	50（含）以上	56	10.8
教育程度	國中（含）以下	172	33.3
	高中（職）	53	10.3
	大學（專）	177	34.2
	研究所（含）以上	115	22.2
居住地	高雄市	326	63.1
	其他地區	191	36.9
職業	學生	209	40.4
	工	52	10.1
	軍公教	106	20.5
	其他（商、自由業、無）	150	29.0
和誰一起來	自己一個人	29	5.6
	家人	242	46.8
	朋友（同學、同事）	109	21.1
	學生團體	112	21.7
	旅遊團體（非學生）	9	1.7
	其他	16	3.1
參觀幾次	第一次參觀	96	18.6
	2-4 次	174	33.7
	5 次以上	247	47.8

表 4 受測者基本資料分析

二、最喜歡的科學演示單元

本次科學演示所列出的 7 項演示單元中，受測者最喜歡的單元前三項分別為：「超級比一比：二氧化碳 V.S 氧氣」（20.9%）、「陸冰海冰大不同」（14.5%）以及「誰最生氣」（12.4%）。勾選所有展演單元都喜歡的有 105 人，佔20.3%。「超級比一比：二氧化碳 V.S 氧氣」科學演示單元

為本個案中受測者最喜歡的單元，從開放式問題中，歸納受測者填答最喜歡的原因分別是：「親眼看到二氧化碳的形成」、「氧氣好強」、「很神奇」、「這個實驗很有趣」等，因為這個科學演示在表演過程中，有多種化學藥劑產生即時的化學變化，會讓受測者「親眼看到」氧氣和二氧化碳，這些平常「虛無」的氣體，它們的「化學特性」，因此，透過這個問卷結果發現，演示當中要多讓參與者「直觀地」看到實驗的結果，搭配恰當的鋪陳，材料演示的時間順序，遵循好這些原則，才能使得演示達到吸引大眾的目的。

「陸冰海冰大不同」被受測者選為最喜歡的單元第二名（14.5%），從開放式問題中，歸納受測者填答最喜歡的原因分別是「透過科學導正錯誤觀念」、「簡單易懂」、「原來如此」等。這個科學演示將一般人容易混淆的科學原理以對照實驗的方式，讓受測者清楚比較出兩者的差異，這個過程讓多數的受測者感到「興奮」，有種「原來如此」的感受，加深受測者的印象。

最喜歡的演示單元	人數（人）	百分比%	排序
造雲者傳說	64	12.4	
超級比一比：二氧化碳 V.S 氧氣	108	20.9	1
超級比一比：二氧化碳的增溫效果	41	7.9	
誰最生氣	69	13.3	3
陸冰海冰大不同	75	14.5	2
北極的冰	11	2.1	
物體的反照率	44	8.5	
全都喜歡	105	20.3	

表 5 最喜歡的演示單元

圖 1. 最喜歡的演示單元：超級比一
比：二氧化碳 V.S 氧氣。

圖 2. 最喜歡的演示單元：陸冰海冰
大不同。

圖 3. 最喜歡的演示單元：誰最生氣。

三、受測者對於氣候變遷「認知」調查

⊙ 學習認知總評

1. 所有受測展的學習成效認知總評

　　所有受測者在參加過「認識氣候變遷」科學演示後，
1~10 個題項上其的學習成效均有顯著差異性（p < 0.05）
（見總表），不過進一步分析各題項的總正確率，其前測
部分平均正確率最高的題目為：了解北極的重要性及功能
【您知道下列物質中誰的反照率最好？】，為 86.7%，顯示

所有受測展了解北極在氣候變遷當中所扮演的角色，而前測正確率最低的為：了解南極陸冰融雪會讓海平面上升【請問以下對「海平面上升」的敘述何者是正確的？】，可見受測者對於海冰以及陸冰兩者的不同、水的密度相關科學知識都欠缺正確的認知，顯示這方面有關的科學教育課程需要加以強化。以下為各題項配合演示單元受測者的前、後測平均正確率統計表：

展現的科學內容	前測 平均正確率	後測 平均正確率
了解天氣與氣候的不同（3 題）	60.9%	95.0%
了解二氧化碳與氧氣的化學性質與增溫效應（3 題）	70.7%	87.9%
了解二氧化碳會讓溶液變酸（2 題）	65.1%	95%
了解南極陸冰融雪會讓海平面上升（1 題）	27.5%	90.9%
了解北極的重要性以及功能（1 題）	86.7%	99%

表 6 所有受測者的前、後測平均正確率統計表

⊙ 不同屬性、類別學習認知分析

1. 了解天氣與氣候的不同

有關這個部份，問卷上的設計有 3 題 ，分別為【請問「竹風蘭雨」，基隆是「雨都」是形容？】、【您知道天氣和氣候的不同在哪裡？】、【您知道要形成天空中的雲除了水氣之外，還需要什麼？】，演示的部分則利用圖表以及模型解釋天氣和氣候的不同，透過動手操作的實驗介紹雲的形成所需要的條件。

透過三個問題的前、後測問卷得知，其學習成效在年齡的部份 30-39 歲以上、教育程度（高中（職）及研究所（含）以上、職業（軍公教）無顯著差異，因此部分的問題屬於科普教育範圍，具備先備知識者，有一定程度的認知（見附表 1.2.3）。

圖 4. 以圖表說明天氣、氣候的不同。　　圖 5. 動手操作的實驗介紹雲的形成。

2. 了解二氧化碳與氧氣的化學性質與增溫效應

　　二氧化碳在全球溫度上升上扮演一個很重要的角色，但是它只佔空氣組成成份不到百分之一，但卻對地球帶來沉重的影響，因此透過科學演示讓受測者認識二氧化碳。在這個部份問卷上的設計上有 3 題，分別為【請問下列哪一項敘述是二氧化碳的特性？】、【下列哪兩種藥劑混合後的化學變化會產生二氧化碳？】、【在氣候變遷的影響中，最明顯的便是暖化，下列哪些現象可以證明暖化正在發生？】。

　　演示的部分則先利用多媒體影片讓受測者了解從哪些地方可以知道暖化正在發生，冰期與間冰期的影響以及溫室氣體有哪些，以圖表比較臺灣以及全球的平均溫度，動手操作的實驗則是利用醋和小蘇打產生的化學反應製造二氧化碳，再利用排水集氣收集，進行增溫效應的實驗，同時也利用二氧化錳與雙氧水會產生氧氣，做對照組的呈現，讓受測者更了解二氧化碳和氧氣的不同。從這三題的結果顯示，在對「二氧化碳的特性」受測者有顯著差異性（$p <$ 0.05），表示一般大眾對於二氧化碳「不助燃、讓地球溫度變高」均有正確的認知。（見附表 4,5,6）。

圖 6. 排水集氣法（醋與小蘇打反應）收集二氧化碳進行實驗。

圖 7. 二氧化錳與雙氧水產生氧氣讓線香的火燃燒更劇烈。

圖 8. 利用收集到的二氧化碳自製增溫效應組。

圖 9. 透過比較了解二氧化碳的增溫效果。

3. 了解二氧化碳會讓溶液變酸

當二氧化碳加壓溶於水中，就會變成我們熟悉的汽水中的成份 - 碳酸水，因此，氣候變遷所引發的暖化現象，會使得過多的二氧化碳融入海洋中，使得海洋的吸碳機制無法正常運作，透過以下兩個問題讓受測者了解二氧化碳對海洋的影響，分別為【您知道二氧化碳溶於水中，會讓水有什麼變化？】、【請問酚酞指示劑遇到鹼性物質會呈現什麼顏色？】。其中「酚酞指示劑遇酸鹼變色」這題的結果顯示，在所有受測者、性別、年齡、教育程度、職業以

及居住地的學習成效均有顯著差異性（p＜0.05），分析此題項學習成效均有顯著差異性的原因，是因為「酚酞」這個化學品，在九年一貫的課程的七年級（國中以上）才會接觸到，對許多受測者而言是不容易理解的名詞。（見附表7、8）。

　　了解二氧化碳會讓溶液變酸這個問題，是透過「誰最生氣」這個科學演示，將原本鹼性的溶液，利用吸管請受測者從口中吐出的氣體，因口中的氣體含有二氧化碳，所以溶到鹼性液體中會讓水產生變化，再利用酚酞指示劑「遇到鹼性會呈現粉紅色，遇到酸性會呈現無色透明」的特性，清楚顯現二氧化碳溶於水中，會讓水變酸，藉此提醒過多的二氧化碳會對海洋造成影響。

圖 10. 酚酞指示劑在遇到酸鹼會變色。　圖 11. 口中吐出的氣含有二氧化碳，溶於水後變酸，因此水產生變色。

4. 了解南極陸冰融雪會讓海平面上升

　　海冰與陸冰是不同的，但一般民眾大都有錯誤的認知，認為兩者融化都會造成海平面上升，其實不然的，受到暖化的影響，這兩處的冰融解後對於海洋生態有不同的影響，因此為了給民眾正確的觀念，在這個部份問卷上設計了 1 個題項【請問以下對「海平面上升」的敘述何者是正確

的？】。

　　而在科學演示的部分，先以圖表顯示臺灣近 10 年的海平面上升速率對照較全球的狀況，再透過模擬北極海冰，南極是陸冰的實驗組，以對照組的方式告訴受測者，海冰的體積其實本身就算在海洋的體積中了，即使融化海平面也不會上升；反觀陸冰的體積並沒有算在海洋中，一旦融化，就如同在原本的海中再倒入大量的水，海水上升的幅度會很大。從【請問以下對「海平面上升」的敘述何者是正確的？】結果顯示，僅在年齡 50（含）以上受測者後測無答錯。（見附表 9）。

圖 11.陸冰演示實驗組，冰塊融化後海平面上升（紅色橡皮筋標示）。

圖 12.海冰演示實驗組，冰塊融化後海平面沒有上升（紅色橡皮筋標示）。

5. 了解北極的重要性以及功能

　　極地的海冰就像地球的空調，可冷卻空氣及海水，影響全球洋流系統，還能將太陽的輻射反射回太空。但受氣候變遷，全球暖化的影響，科學家發現北極冰層從 1970 年代開始，不管是範圍或者厚度，都急速的縮減，逐漸喪失其功能，本項科學演示是圖片比較 1980 年和 2008 年北極冰層覆蓋率的減少差異，然後再透過照度計來量測不同物體的反照率效果。

從【您知道下列物質中誰的反照率最好？】問題發現，問題中的三個選項為「冰、樹葉和石頭」，受測者可能在預設立場的判斷下：「因為這個科學演示活動和與氣候變遷、全球暖化有關，可能和冰比較相關」，因此以選擇「冰」為正確答案，故顯著性並不大。（見附表 10）

圖 12. 利用石頭、樹葉以及冰來做測試　圖 13. 利用照度計進行反照率的實驗

四、受測者對氣候變遷觀念調查

從 11、12、13 題發現，所有受測者均對參與本次科學演示前、後對氣候變遷的相關知識、更重是氣候變遷這個議題、並會以行動來愛地球等觀念的問題均有顯著的差異性（p < 0.05），顯示透過寓教於樂的科學演示活動後，明顯地發現：「學生（受測者）傾向於記得曾經操作過的活動，尤其是那些被他們認為是有趣的活動」（Glynn et al,1991）。演示的過程對學生（受測者），對受測者的自我肯定甚大，加深觀念以及潛移默化了意識形態的認知（參考附表 11）。

陸. 結論與建議

透過本次的研究發現，結果大都呈現正向的成效，可

見演示教學及寓教於樂的科學活動提高往後受測者在科學上的學習。Clark 與 Starr（引自張世宗，2000）的一項研究指出：學生能記住「讀到」的百分之十、「聽到」的百分之二十、「看到」的百分之三十、「聽到及看到」的百分之五十、「說過的話」的百分之七十、「說過並做過」的百分之九十。本次調查的結果也與毛松霖教授「探究式」與「講述式」教學法之成效比較（毛松霖、張菊秀，1997）的研究結論相符合，可由動手做活動，評量出他們在科學上的學習潛力（林淑梣、張惠博，2001）。

　　本次的研究發現，在受測者最喜歡的演示單元前三項為：「超級比一比：二氧化碳 V.S 氧氣」（20.9%）、「陸冰海冰大不同」（14.5%）以及「誰最生氣」（12.4%）。其演示方式歸納出幾個相同的重點：演示時間不宜過長（一個實驗，控制在 5 分鐘之內），演示物應有足夠的尺寸、亮度及高度，實驗結果要在較短時間內顯現，實驗現象應豐富生動，讓受測者在演示過程中始終處於興奮狀態（李俊玲，2008）。而演示技巧上則必須明確說明每一個演示實驗的目的、同時多讓受測者直觀地看到結果，演示過程要有故事及鋪陳、材料的出示要有時間順序，遵循好這些技巧，才能使得演示不會功虧一簣。

　　綜合前述之調查結果，提出以下結論：

　　一、透過本次科學演示的方式，發現所有的受測者，在透過 7 個實驗以及 13 個問題的檢測後，對於「氣候變遷」的學習成效，其前、後測比較皆有達顯著性之效果，有助於累積受測者該項知識正確的觀念，驗證學者（Roth&Lucas,1998; Tobin,1990;White1988）觀點，實驗活動在科學教學中以有一段很長的時間，近兩百年受到科學

教育界不斷的推崇，實驗是促進有效科學教學和學習的重要因子。

二、透過本次科學演示說明了紙筆評量及過去僵硬的食譜式實驗對某一些不擅於抽象思考及文字表達的學生（受測者）（林淑棻、張惠博，2001），可由動手做（Hands-on）或參與式的演示活動，評量出他們（受測者）在科學上的學習潛力與成效。顯示以科學演示詮釋科技新知，更能夠引起觀眾（受測者）想像與好奇心，使博物館的科學教育成為獨特的學習方式（徐純，2000）。

三、在觀念改變的題項上發現，所有受測者均對參與本次科學演示前、後對「氣候變遷的相關知識」、「更重視氣候變遷」這個議題、並會以「行動來愛地球」等觀念的問題均有顯著的差異性，顯示透過寓教於樂的科學演示活動後，明顯地發現：「學生（受測者）在教學結束（學習）後，在認知、情意及技能上的改變」（Piccoli，2001）。演示的過程對學生（受測者）的自我肯定甚大，在情意上深化，加深觀念，潛移默化了意識形態的認知。

四、被受測者選為「認識氣候變遷」中最喜歡的科學演示單元，歸納其特色有以下：一個單元控制在5分鐘之內、演示物有足夠的尺寸方便受測者觀賞、演示過程有故事及鋪陳，讓受測者處於興奮狀態、實驗結果在短時間中顯現、同時實驗現象豐富生動。

綜合本調查所獲得的經驗，提出以下建議：

一、教育面

1.本調查發現以科學演示的方式讓受測者更進一步了解「氣候變遷」，獲得多數受測者的肯定，而且還出現不

少小團體討論的情形，顯見，好的實驗活動能提供學生進行知識建構的機會、學習科學探究的方法、進而了解科學本質及從事科學的態度，且能提供給師生其他方式無法達成的樂趣，此等優點確認實驗教學獨一無二的價值，使其被視為科學教育中重要且神聖的一環（趙毓圻，2008）。

2.2011年環境教育法正式通過並施行，此等與「環境變遷」以及「氣候變化」相關的議題不論在國內外都引起極大的關注，建議加強學校這方面的知識建構，向下落實紮根，除了講述式的教學策略外，這類有主題式的探究式科學演示活動，更可以加深學生對這類議題的了解、認知與關懷，培養學生以地球公民角度思考如何為環境永續盡力。

3.學者指出學習成效的成功或失敗，態度發揮非常關鍵的作用，積極者有利於學習，反之則會產生學習障礙（Rahimi & Hassani，2012），而態度的組成成份涵蓋認知、情意及技能，因此，本次「認識氣候變遷」科學演示活動，透過有情節的、組織過的實驗演示，從研究發現，確實可以適時地讓受測者（學生）產生某些情緒、認識、參與上的「態度」的改變，增進受測者（學生）對科學的理解。

二、研究面

1.本調查結果雖呈現正向的成效，但調查過程中仍有許多無法控制的干擾因素，例如：演示者的演示技巧、受測者作答的可信度、問題選項的難易設計、年齡分佈以及教育程度等變項，建議將來可以更嚴謹的問卷設計加以驗證探討之。

2.進行追蹤調查。受測者在參與了30分鐘的科學演示活動，當下記住了某些知識性的問題及正確的答案，而這

些「強記」的知識在短暫發生的效果，但是長期下來是否有融入學生的生活中，可進行更深入的追蹤探討，藉以驗證，以期透過博物館的教育活動真正紀錄下參觀民眾的學習成效或者經驗，作為相關單位擬定環境教育課程之參考。

第二夢
青春氧樂園 – 無菸 , 少年行特展

解夢密碼：巡迴展示・刷卡看展覽的鼻祖・本島與跳島

1. 沒有菸的有「氧」樂園

　　青春氧樂園 - 無菸，少年行 - 以「樂園」來發想整個展示的故事，為了名符其實，因此遊戲、有趣成為展覽的元素，再加上目標族群非常確定為青少年，藉此推廣菸害防制，所以用「卡」來參觀展示，成為當時一個很新潮的參觀方式，藉此拉近與年輕人的距離，也成為「刷卡看展」的鼻祖。青春氧樂園特展在 2007 年結束預定的巡迴場次後（臺北國立臺灣科學教育館及臺中國立自然科學博物館），它並沒有就此打包到科工館的庫房中，束之高閣，它還繼續從本島跳島到澎湖縣、金門縣展出，再回到當時的高雄縣、新竹縣，充分延伸其展示教育的功能，為巡迴展示做了最佳的詮釋。

「青春氧樂園 - 無菸，少年行！」 特展

II. 一場樂園式的展覽~談「青春氧樂園 - 無菸，少年行！」特展

＊什麼是「青春氧樂園」？

是即將新開幕的主題樂園？還是預備開張的養身館？都不是，其實，這是一個展覽的名稱。

＊你對展覽的印象？

是一堆面板加上一堆字嗎？還是一本巨人看的百科全書？還是專家寫的學術報告？來到「青春氧樂園」將顛覆你對展覽所有的想法！

⊙ 緣起

2004 年 8 月工博館與行政院衛生署國民健康局因緣際會，有了一次合作的機會，為的是討論規劃一個與「健康生活」議題相關的展示，雙方從蓋一個「博物館」，討論到就先以北中南三地的「巡迴展」開始，從「健康生活」議題討論到就以「菸害防制」為此次展覽的主題。在 2004 年年底這樣的一個 3 年的展覽計畫大致抵定，健康局負責專業資料的提供與諮詢，而工博館負責展覽的設計規劃與製作，科教活動的開發以及巡迴場地的協調工作。

面對這樣一個如此「教條」的議題，其實雙方在一開始就知道這是一個不好「操作」的題目，因為一聽到「菸害防制」，這個名字，套用時下年輕人流行的語彙，是一個很「瞎」的話題，聽起來就像又要到學校去聽教官訓話，怎麼談，怎麼想都不會出現「有趣」這兩個字，有鑑於此，在展覽的規劃設計上，健康局充分尊重本館的專業並接受所有創意的發想，唯一堅持的是展覽名稱不要取名為「菸害防制」，並以 10-18 歲為目標族群，且強調展覽必須活

潑生動,而對於工博館而言,可以將這樣一個看起來「老生常談」的話題,轉化及萃取成「寓教於樂」的展覽,而且要讓年輕人喜歡親近,是一個極大的挑戰。

就從 2004 年的冬天開始,工博館與健康局結下了不解之緣,共同的期望就是創造出一個不同以往的展覽……2005 年盛夏,這個展覽的名字誕生了,它叫做「青春氧樂園」。

⊙ 展示理念

萬事起頭難,接下了這個專案補助計畫後,筆者才赫然發現,工博館有專業的展示、科教、行銷以及導覽的人才,但是卻沒有一位了解本展覽目標族群的專家,這個族群現在到底流行什麼?喜歡什麼?要怎樣才能吸引他們的聚焦,成為規劃本展覽筆者遇到的頭號問題。就這個問題,策展小組同仁花了不少時間明查暗訪,去了解現在青少年喜歡的文化,熱衷的活動,喜歡的展覽模式,終於歸納出時下年輕人的「口味」,「喜歡線上電玩遊戲」、「愛看卡通漫畫」、「對多媒體影音有感覺」,有了這些「基本資料」,筆者與策展小組的同仁開始大膽地發想展示理念。

博物館的展示最為人所詬病的就是,宛如走出教室的另一本教科書,博物館本身是一種專業,展示可以與學術相關但並不是學術,更不是教科書,這種教科書的觀念,常是國內博物館展示缺乏活力與吸引力的原因(漢寶德,2000),因此,像這樣一個教條意識強烈,又嚴肅的展覽議題,如果就運用上述的展示手法,筆者認為定是「死路一條」,於是,針對我們的目標族群,根據我們調查而來的資料,策展小組決定以「主題樂園」以及「五感體驗」為本特展設計理念之兩大訴求,將展覽名稱訂為「青春氧

樂園-無菸，少年行！」。『青春』指 10-18 歲的青少年，『氧』代表不抽菸，生活有氧又健康，『樂園』因為這裡充滿歡愉，不八股，不說教，期待帶領參觀民眾擁有「參

巡迴至國立台灣科學教育館展出情形

觀前期待」、「參觀時感動」以及「參觀後回憶」。

⊙ 展示規劃與設計

「青春氧樂園-無菸，少年行！」特展是以菸害防制為主題。目前國內的抽菸年齡層有普遍年輕化的趨勢，一個吞雲吐霧的動作、一次好奇心的驅使、一堆三五好友間同儕行為，都可能為生命帶來傷害，據研究指出「抽菸」所引起的疾病從小到--膚質的改變，大到--身體各器官的病變，都與它有關係，因此「菸害防制」與「無菸生活空間的訴求」成為 21 世紀人類極為重視的公共衛生課題之一。

菸害防制的面向何其多，在台灣從 1984 年民間團體開始反菸，1997 年公告實施菸害防制法，一直到 2000 年政府不斷地從家庭、學校、職場、軍隊、餐廳等各個場域去落實且深根菸害防制的理念，這些成果以及努力要如何在展覽當中適當選取，搭配合宜的展示手法，組成參觀民眾可以接受且容易了解的展示內容，是我們規劃本項展覽的一大挑戰，在展示規劃與設計期間，筆者有一些思考和經

驗提供作為參考：

⊙ 多元感官的刺激

為了要達到民眾參觀本展覽的「五感體驗」，展覽規劃之初就強調以多媒體影音的展示方式，來突顯本展的特色，因此這項特展光是展覽設備的購置就佔了展覽總經費的 40%。隨著科技的進步，博物館的展示技術也必須跟得上時代潮流，更重要的是，必須因應不同的展覽性質，搭配合宜的展示手法，才能相得益彰。

而傳統的博物館展示以靜態、物件、圖版方式來呈現，實在與本展覽的展示理念以及目標族群格格不入，因此鎖定結合電腦與多媒體，以聲光影像、模擬等技術，刺激觀眾的視覺、聽覺、觸覺、嗅覺甚至味覺，引發學習的興趣（張崇山，2004），才能讓本展覽擺脫教條議題的刻板印象，成為活潑生動，多采多姿且是一個多元感官刺激的展覽。

⊙ 教條內容的轉換與萃取

說起「菸害防制」，筆者認為這方面的知識從 8 歲到 80 歲的人幾乎都有基本的概念。吸菸會造成哪些病變，青少年為什麼吸菸，如何戒菸……等，這些內容如果再用大型看板再宣誓一次，實在沒有太大的意義，因此，我們要在一大堆說教的內容當中，去轉換與萃取，使得「它」變成有趣的展示單元，舉一個例子，本展覽當中有一個展示單元的名稱叫做「城市螢火蟲」，主要是要說明「戒菸的方法」，包括：下定決心、以筆代菸、嚼口香糖、用冷水洗臉……等，看完這些文字心中肯定浮現「無聊」或「早就知道了」，所以，要讓這個單元有趣，我們這樣規劃與設計。

首先，將官方版本的「戒菸的方法」改寫成為「戒菸

籤詩」，例如：

官方版：

參加戒菸班或戒菸門診，可以得到專業諮詢及藥物協助。

籤詩版：

華陀再世為何來　普渡眾生為菸來

一藥一診一如來　豈能辜負華陀來

再來，我們搭配了時下年輕人喜歡的射擊遊戲及扭蛋機，只要擊滅發光的菸蒂，宣誓戒菸的決心，就可以獲得扭蛋機中的「戒菸籤詩」。

置身「肺泡」中的
展示設計

經由這樣的轉換與萃取，筆者發現該項展示單元深受參觀民眾喜愛，在拿到扭蛋中的籤詩那一剎那，不少人還會會心一笑。

⊙置身「肺泡」中，用「卡」來參觀

本展覽為因應巡迴之需，在規劃上運用了 Truss（輕鋼桁架）來組裝展示單元，減少木作的量，而其造型便設計

成為「肺泡」的樣子，搭配上水波燈投影的效果，營造血液流動的畫面，讓每位來參觀的民眾彷若置身在「肺」當中，藉由各項與菸害有關的「互動遊戲」來體驗，「菸之害」及達到「菸害教育」的目的。

除此之外，為了呼應展覽的設計理念「主題樂園」的概念，我們特別設計了一張「青春有氧卡」提供參觀民眾在動手操作互動單元時紀錄積分，依分數高低換取禮物，這個靈感來自於筆者前往某百貨公司內的某遊樂場，發現不少學生喜歡玩遊戲，累積集點卡換獎品，因此如果讓展覽不只是個展覽，還帶有一些比賽及獎勵，相信可以更吸引更多民眾來參觀。

⊙ 結合九年一貫課程

在教育目標上，本展覽特別結合九年一貫課程中的「健康與學習領域」、「社會學習領域」以及「藝術與人文領域」，藉由互動單元達到「認知」、「情意」、「技能」的教學目標，更希望展覽當中各項由工博館所研發的互動單元，未來都可以成為菸害防制課程上的「創意教案」，搭配教學使用，讓莘莘學子在參與相關議題的課程時，所涉獵到的教材更加多元及豐富。

⊙ 結語

「青春氧樂園－無菸，少年行！」特展當中不少的展示手法及創意是國內科學類博物館少見的，甚至寫下國內史上一個不同於以往的展覽，有其一定的挑戰性及難度，除此之外，該項展覽還有幾個特別的地方，值得在此一書，一為：因應健康局的要求「特別」在94年先辦了一個暖身展，試驗民眾的接受度，同時測試部份研發的互動單元的耐用性，二為：展覽本身如無「特別」需要不要出現真實

的菸或者菸的味道，三為：創造「特別」搞怪的展覽名稱，形成話題，引發好奇。

在長達一年半的規劃與設計，筆者除了執行展覽的規劃與設計外，還要與從來沒做過展覽的健康局不停的討論與磨合，統籌整個計畫的行銷、文宣與尋求贊助，然而，一個展覽的成功需要的是一個「團隊」的努力，而不是單靠一個人或廠商，每一個環節都必須緊密結合，環環相扣，才有辦法完成展覽贏得喝采獲得掌聲，締造佳績。

「青春氧樂園 - 無菸，少年行！」特展將藉由寓教於樂的展示互動單元，讓你重新認識「菸害防制」這個議題，套用一句現在七年級生流行的用語：「這素一個粉ㄅㄧㄤˋ的展覽，不來看，不僅瞎？還很遜勒！」。

III. 巡迴展態樣的轉化與實踐～國立科學工藝博物館「青春氧樂園～無菸, 少年行」特展策展紀實

壹. 前言

　　2006 年國立科學工藝博物館（簡稱科工館）與行政院衛生署國民健康局（簡稱健康局）共同推出了一個為期近 1 年巡迴北、中、南三大國立館所的巡迴展「青春氧樂園～無菸, 少年行」（簡稱青春氧樂園特展），這是一個以菸害防制為主題的展示，展期 234 天，創下 25 萬參觀人潮，而這樣的巡迴展示方式也獲得補助單位健康局的高度肯定，同時有相繼來自香港、澳洲以及義大利等國家的博物館接洽巡迴事宜。其實博物館與政府部門合作展示早就行之有年，青春氧樂園特展並不是第一個跨部會合作的展示，比較不同的是，健康局一開始所指定的展覽方式就是巡迴展，而且必須要在教育部所屬的三個國立館所巡迴，同時強調展示的手法要以多媒體互動為主。

　　這項展示的特殊性也讓科工館有機會挑戰多媒體且高互動展示的規劃與設計，同時處理巡迴於國內指標性博物館的移展業務。巡迴展主要克服傳統展示設計互動不足及展示後再運用不足，所造成展示教育延續性不足與知識擴散不足，過於浪費資源及造成展示效率與效能不足的問題。因此，巡迴展須考慮到展品的包裝、運輸、佈展、維修及其他管理費用（張崇山，2007）。設計巡迴展示時理想之展示構件應具備標準化、模組化、組合性、便捷性等四個原則（林慧芬，2006）。

　　本文將從博物館規劃製作巡迴展示時所面臨的種種問題談起，並以科工館青春氧樂園特展為討論實例（如圖一所示），說明如何克服上述所列之問題，將巡迴展需具備

的基本構件原則導入設計之初，探討博物館在規劃巡迴展示時應注意的事項以及關鍵的技巧，藉由實務經驗分享提供未來其他博物館辦理巡迴展覽時的參考。

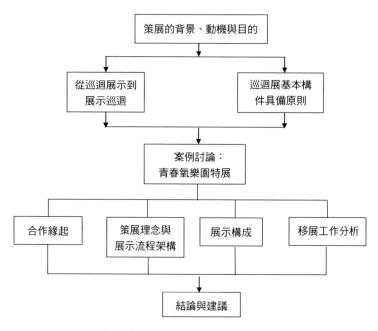

圖1. 青春氧樂園特展策展紀實流程圖

貳. 從巡迴展示到展示巡迴

　　早期博物館是以蒐藏為重點，從博物館發展的歷史來看，可說「蒐藏」促成展示基本形式，及「陳列」的形成（吳淑華，2002），博物館的核心產品是蒐藏、保存與展示，核心產品衍生出其他產品例如支持學術與研究、資訊傳遞、教育與觀眾服務（McLean, 1997），現代博物館的展示不僅要傳達知識、發揮活潑的創造力、結合「趣味」

與「娛樂」以吸引觀眾，與激發情感上的共鳴（陳慧玲，2001）。黃世輝及吳瑞楓（1992）指出博物館展示類型根據場所可區分為戶外展示、室內展示與巡迴展示；由展出期間來劃分包括長期展示（或稱常設展示，至少維持 3 ～ 5 年的展示）與臨時展示（或稱特別展示一年或半年以內便拆除的展示）。

現代的展示，展品的貴重與否並不重要，而是重視觀眾的參與，展示是一種教育的工具（漢寶德，1995）。台灣博物館界自九０年代開始，逐漸重視博物館展示，尤其是特展（曾信傑，2001），近年來許多大型特展已逐漸顯露出博物館企圖反應時代脈動，滿足觀眾需求的一面（馬佩佩，1998）。然而，針對特展而量身訂作的展示構件，於卸展後有時礙於收納空間有限，往往只有拆解丟棄或束之高閣的命運，在經費及環保上都非良好的作法，為了解決展示構件限制性的使用問題，近幾年博物館在策劃時普遍朝巡迴展的方式進行（林慧芬，2006）。

一、巡迴展示

展示是博物館與外界最主要的溝通橋樑，展示也是博物館專業呈現的最佳平台，吸引社會大眾造訪博物館的關鍵也在於展示，但是，20 世紀 80 年代以後，博物館面對多元社會改變，民眾休閒娛樂的選擇增加，除了整個台灣地區的公私立博物館的彼此競爭外，還必須應付越來多複合式商場、遊樂園分食掉博物館客源，因此博物館必須尋找對策，讓觀眾不侷限於到博物館才能參觀，而是讓展示走出博物館更接近民眾。巡迴展的方式可以化被動為主動，將展示送到更貼近群眾的地方，除了可以服務更多群眾，亦達到宣傳行銷目的（陳玫岑，2006）因為巡迴展示是展示品走出博物館巡迴各地，屬送貨到家的展示方式，

特別是在離本館距離較遠或交通不便的地方（秦裕傑，1996），巡迴展示指巡迴各地展出之臨時展示或特別展示，展示是博物館直接面對觀眾的最前線，巡迴展示代表著博物館的外在形象，可以直接影響外在（偏遠）群眾對博物館的印象，另一方面，巡迴展示除了可以促進國內博物館館際之間的交流之外，與國外博物館的巡迴合作關係也日趨頻繁，尤其巡迴展示的發展在國外博物館儼然已成為主流（林慧芬，2006），因此辦理巡迴展在近幾年來蔚為風氣，不論是國內或跨國，都有許多案例。

二、展示巡迴

博物館的巡迴展主要是以兩種方式呈現，一是以巡迴車為展場的巡迴展，另一是以固定場地為展場的巡迴展。以巡迴車作為展場的巡迴展方式是一種特殊的展示方法，將車體、展示和場地結合為一體，機動性高是最大特色，許多博物館視為展示推廣的利器，國內的國立自然科學博物館、國立科學教育館以及國立歷史博物館等都有相當規模的展示巡迴車設施，在博物館的展示功能上扮演特定的角色。而固定場地的巡迴展，一般都是依巡迴展特殊需求量身打造，以固定的展示內容與設備，適應任何可能的展場（洪楚源，2006），而青春氧樂園特展則是屬於後者的巡展方式。

三、台灣博物館巡迴展面臨問題

博物館展示設計的問題可從本質面、現象面、實體面三個主層面思考，展示的本質面在思考「為什麼展示」，解決觀眾的需求與展示內容等問題；展示的現象面在呈現「適切的展示」，解決空間設計與媒體運用等的問題；展示的實體面則在落實「合理的」展示，解決人因工程與美學因素等的問題（張崇山，1999）。博物館展示順應時代

潮流的演進，在展示技巧、功能、方法、媒體與媒材等各方面都發生明顯的變革，尤其在現代科技與展示技巧日漸成熟的帶領下，展示方法逐漸被組織化與系統化；展示技術也逐漸被專業化與模組化（郭義復，1999）。

　　一般而言，巡迴展示是為了能將展示教育的機會與展示的資源能讓更多人來分享的目的而做的（UNESCO，1963）。從巡迴展示到展示能夠巡迴，這看似文字上的前後變換，但這轉化與實踐是累積無數人的智慧，同時也需要時間去做規劃與設計，而就目前台灣博物館巡迴展移展時所面臨到之問題，即是因展示構建體積太大無法拆解、通道過窄及空間不合，導致必須重新訂製或修改展示構件，進而造成移展成本增加，資源重覆浪費（林慧芬，2006），因此，必須了解過去博物館製作巡迴展時面臨的種種問題，進行分析以及應對，如何在設計之初即導入通用設計理論，建立彈性化，機動性的設計，妥善評估展示構件的機能性，讓巡迴展示真正達成有效能的展示巡迴。

參. 巡迴展基本構件具備原則

　　巡迴展是一種結合非營利教育機構商業活動開闢財源的行為，除了展示主題內容及展示手法的適切設計外，更要考慮到展品的包裝、運輸、佈展、維修及其他管理費用；因此，巡迴展是博物館營運較穩定後，行有餘力、擴大影響力的作為，也可以顯現出博物館的展示專業達一定水準（張崇山，2007），而展現專業的策略之一正是如何讓該展示可持續數年，在各地巡迴不受影響，同時又非常便於裝箱、拆箱及組裝（鄭惠雯譯/蘇泰來，2004），因此依據林慧芬（2006）於組合式設計運用於博物館巡迴展示之初探：以「諾貝爾獎百年特展」與「運動科學展」為例論文中所述，設計巡迴展示時理想之展示構件應具備以下四

個原則：

一、標準化

　所謂標準化，即是規格化，針對展示構件的材料種類力求統一化之單純與簡化，意即避免使用過多種類的材質所造成的混亂，材料簡化的優點可以減少稀有材質運用上的搜尋時間與材料成本的支出，並且方便未來巡迴展時，如需修補或變更時材料容易取得，標準化（規格化）大都是可以量產為其標的，同時也可重複使用。

二、模組化

展示構件模組化則是在設計階段，針對所有的展示構件進行分類，尤其是材料、尺寸、工法甚至造型、色彩等以模組化及國際規格模式處理，模組化的優點一方面可提升材料相互運用的彈性，另一方面模組化的多元性也方便因應於各種不同的空間環境。

三、組合性

展示構件的組合性，意指所有展示構件的更換，可做彈性更換變化展示構件原有之造型、色彩甚至機能性，每個展示構件皆是獨立的個體，不但可以獨立陳列亦可搭配其他展示作整體性之呈現。

四、便捷性

巡迴展示其中一個特性即是展品能夠巡迴至各地，因此展具的搬遷與展示構件拆解的便捷性為首要問題，尤其巡迴展示為因應各種不同環境與空間，展示構件必須具備改造的機動性，某些時候新的巡迴地點場地不如原有空間寬敞，搬遷時可能會因為展示構件過大，無法搬遷或佈展等為問題，此時便能視場地條件，進行構件的拆解或改造。

肆 . 案例討論：青春氧樂園特展

一、合作緣起

　　2004 年 8 月科工館與健康局因緣際會，有了一次合作的機會，為的是討論規劃一個與「健康生活」議題相關的展示，雙方從蓋一個「博物館」，討論到就先以北、中、南三地的「巡迴展」開始，從「健康生活」議題討論到就以「菸害防制」為此次展覽的主題。就這樣的一個 3 年的展示活動計畫大致抵定，健康局負責巡迴經費全額補助、專業資料的提供與諮詢，而科工館負責展覽的設計規劃與製作，科教活動的開發以及巡迴場地的協調工作。

　　展示基本資料如下：

展示基本資料		
展示目標	以健康局推動菸害防制的工作成果、資料，建立展示核心價值。結合空間主題情境、視覺媒體科技、裝置應用及參與式的體驗方式建構展示，透過這些新的科技媒材，將菸害防制這項議題做重新的詮釋與萃取，加強目標對象對菸害防制議題的認知，增進他們對菸害的認識與瞭解，體認無菸、拒菸、戒菸才是健康自保之道。	
目標族群	10-18 歲之青少年。	
主展場	國立科學工藝博物館第三臨時展示廳及圓形中庭	1,180 平方公尺。2006 年 06 月 27 日 -11 月 05 日止。（114 天）。
巡迴地點一	國立臺灣科學教育館三樓特展室	991 平方公尺。2006 年 11 月 21 日 -2007 年 01 月 21 日止。（55 天）
巡迴地點二	國立自然科學博物館第四特展室及戶外公園	880 平方公尺。2007 年 02 月 07 日 -04 月 22 日止。（65 天）

二、策展理念與展示流程架構

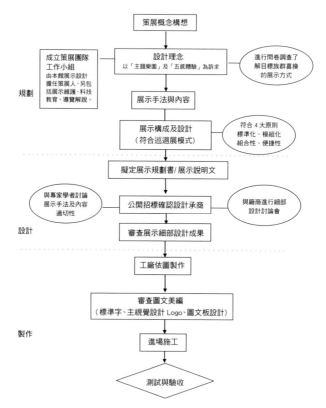

圖 2. 青春氧樂園特展策展理念與流程架構

三、展示構成

1. 展示理念

博物館展示最為人所詬病的就是宛如走出教室的另一本教科書，然而這種教科書的觀念常是國內博物館展示缺

乏活力與吸引力的原因（漢寶德，2000），因此，像這樣一個教條意識強烈，又嚴肅的展覽議題，為了符合補助單位的需求以及對展覽的期望，策展團隊針對目標族群先進行問卷調查以了解青少年喜歡的文化，熱衷的活動及喜歡的展覽模式，歸納出時下年輕人喜愛的口味，例如：喜歡線上電玩遊戲、愛看卡通漫畫、對多媒體影音有感覺等，因此決定以「主題樂園」及「五感體驗」為設計理念之兩大訴求。

『青春』指 10-18 歲的青少年，『氧』代表不抽菸，生活有氧又健康，『樂園』是因為展覽當中充滿歡愉，不八股，不說教，期待帶領參觀民眾擁有「參觀前期待」、「參觀時感動」以及「參觀後回憶」。有鑑於此，該展與傳統的博物館展示以靜態、物件、圖版方式來呈現大為不同，強調結合高科技視訊設備配合對過去之相關文獻資料之創造思考，發展出互動式多媒體與虛擬實境影片強化觀眾之臨場感，並運用多媒體配合簡單的機器操作設計開發互動式遊戲增加觀眾之感官刺激，吸引觀眾在親自體驗下，瞭解、感受與思考菸害對人體與環境的負面影響，引導參觀民眾自發性地參與反菸、拒菸與戒菸行動，以早日實踐建設「非菸家園」的願景（黃慶源、黃永全、蘇芳儀，2007）。

　　2.展示規劃策略

「青春氧樂園~無菸.少年行」特展以菸害防制為主題，目前國內的抽菸年齡層普遍年輕化的趨勢，一個吞雲吐霧的動作、一次好奇心的驅使、一堆三五好間同儕的行為，都可能為生命帶來傷害，研究指出「抽菸」所引起的疾病從小到膚質的改變，大到身體各器官的病變，都與它有關係，因此「菸害防制」與「無菸生活空間的訴求」成為 21

世紀人類極為重視的公共衛生課題之一。菸害防制面向，在台灣從 1984 年民間團體開始反菸，1997 年公告實菸害防制法，一直到 2000 年政府不斷地從家庭、學校、職場、軍隊與餐廳等各場域去落實且深根菸害防制的理念。

青春氧樂園特展一開始就設定為巡迴展，而且展示地點、經費都已經確定，分別為科工館、國立臺灣科學教育館（以下簡稱科教館）以及國立自然科學博物館（以下簡稱科博館），都是國立的社教館所，展示面積也都在 200-300 坪以上，展示目標族群為 10-18 歲的青少年，展示內容是以國內推動菸害防制的成果為核心。

為了呼應「主題樂園」的概念，設計了『青春有氧卡』提供參觀民眾在動手操作互動單元時記錄積分，依分數高

圖 3. 高雄科工館展覽現場，G 區：不要『肺』化~探索肺的構造。

圖 4. 台北科教館展覽現場，I 區：「青春有氧卡計分區」。

圖 5. 台中科博館展覽現場，D 區：「抗『吸』來了~無菸校園」。

圖 6. 青春戰鬥王展示單元，運用多媒體技術的互動單元。

圖7.戒菸方法跑跳碰展示單元，大肢體律動的參與式體驗。

低換取禮物。如果可以讓展覽不只是個展覽，還有帶有一些比賽及獎勵，相信可以吸引更多民眾參觀。再者，為了要達到民眾參觀的「五感體驗」，強調結合高科技視訊設備配合對過去之相關文獻資料之創造思考，發展出互動式多媒體與虛擬實境影片強化觀眾之臨時感，並運用視訊多媒體配合簡單的機器操作設計開發互動遊戲增加觀眾之感官刺激，吸引觀眾親自體驗暸解、感受與思考菸害對人體與環境的負面影響，引導本特展觀眾自發性地參與反菸、拒菸與戒菸行動，以早日實踐建台灣成為「非菸家園的願景」（黃慶源、黃永全、蘇芳儀，2007）。

單元名稱	類 型	數量	視聽設備（數量）
A 區：青春有氧卡登錄區	圖表板	6	
	電腦登錄區	5	電腦（5）、15吋螢幕（5）、伺服主機（1）
B區：『氧』活你，不簡單！	圖表板	2	
	情境造景	4	數位播放器（3）、投影機（1）、擴大機（3）、指向性喇叭（6）
C 區：一念之間~無菸家庭	圖表板	4	
	互動裝置	3	電腦（1）、投影機（1）、擴大機（1）、指向性喇叭（3）

D區：抗『吸』來了~無菸校園	圖表板	9	
	互動裝置	2	投影機（2）、擴大機（2）、電腦（2）、指向性喇叭（3）、互動遊戲板（1）、互動感測地板（1）
	情境造景	1	數位播放器（3）、投影機（1）、擴大機（3）、指向性喇叭（1）、電視（3）
	其他	1	
E區：原來如此~公共場所	圖表板	6	
	互動裝置	2	數位播放器（2）、擴大機（2）、喇叭（2）
	影像播放裝置	1	數位播放器（4）、投影機（2）、擴大機（1）、指向性喇叭（2）、電視（8）、幻燈機（4）、120吋螢幕（2）
F區：『菸』之非福~吸菸的壞處	圖表板	6	
	互動裝置	1	電腦（1）、電子魔法書（1）
	影像播放裝置	1	數位播放器（1）、擴大機（1）、指向性喇叭（2）、電視（1）
G區：不要『肺』化~探索肺的構造	圖表板	3	
	互動裝置	1	電腦（1）、投影機（1）、擴大機（1）、指向性喇叭（1）、攝影機（1）
	影像播放裝置	2	數位播放器（2）、喇叭（2）、電視（2）
	情境造景	1	投影機（1）
	模型/實物展示	3	
	其他	1	
H區：柳暗花明，『菸』消雲散	圖表板	5	
	互動裝置	16	數位播放器（2）、電腦（9）投影機（2）、觸控螢幕（5）液晶螢幕（4）、120吋螢幕（2）、擴大機（4）、指向性喇叭（6）、攝影機（1）、幻燈機（7）、麥克風（2）

I 區：青春有氧卡計分區	圖表板	2	
	影像播放裝置	1	數位播放器（1）、擴大機（1）、喇叭（1）、電視（1）
	電腦登錄區	1	電腦（1）

表 1：青春氧樂園特展使用之媒材類型，共 7 類，總計 90 項。

　　展覽概分為 11 個區域，從「註冊區~歡迎『e』起來」開始，參觀民眾可以藉由電腦登錄打造個人專屬的青春有氧卡，用卡來參觀展覽同時累積積分，穿過鼻子的造型的體驗隧道後，來到「一念之間~無菸家庭」，「抗『吸』來了~無菸校園」以及「原來如此~公共場所」透過展板資訊以及互動遊戲，民眾可以了解國內在家庭、校園、職場當中推展菸害防制上的重點成果，進入魔鏡以及 360 度圓形劇場將告訴你「『菸』之非福~吸菸的壞處」，菸的組成成分以及二手菸所造成的影響，在「不要『肺』化~探索肺的構造」讓你悠遊於「巨肺」中了解呼吸系統的構造，最重要的是下定決心拒菸與戒菸，在柳暗花明，『菸』消雲散，提供參觀民眾正確及有效的方法，最後在離開展覽前別忘了到「青春有氧卡計分區」刷卡看看累積的分數有多少，掌握菸害防制的資訊與知識。

序號	類型	數量
1	圖表板	43 項
2	互動裝置	25 項
3	影像播放裝置	5 項
4	情境造景	6 項
5	模型 / 實物展出	3 項
6	電腦登錄區	6 項
7	其他	2 項
	合計	90 項

表 2. 青春氧樂園特展分類項目總表。

備註：分類方式依據林慧芬（2006）論文所載，本研究自行整理。

　　為了吸引青少年觀眾之展示策略，展覽中運用了大量的投影系統、裝置設備以及視聽電腦，其所使用的媒材類型一共有 7 類，總共有 90 個單元，（見表 1 及表 2），而這些器材的固定以及架設方式也成為影響巡迴展示在設計上的一個重要因素。

3. 展示構成與設計

　　確定了展覽的方向，設計主軸以及理念後，如何讓這些展示單元以及內容，複合落實到巡迴展的態樣中，符合巡迴展展示構件的需求原則，成重要的關鍵。設計本展之初，筆者也曾想過利用目前商業展覽上的元件來組成展示，例如展示隔板、展示架、展示台，但是這些商業上的設計都流於造型材質制式化、粗糙，單調沒有變化，是否適合在本文所設定的國立博物館展出？再則，罐頭化的展件是否無法突顯策展人投注於展示的創意與用心？為什麼國內多半的策展人都不喜歡使用呢？於是在機能性及經濟性的權衡考量下，做了個折衷的決定，選擇商業上常使用的金屬桁架作為空間架構，區隔出每一區的主題，其餘包括展板、展台的部分則針對單元內容量身設計製作。

　　選擇運用了金屬桁架 來架構整個展示空間，除了其重覆使用性高的特點，減少木作隔板每次移動時的損耗外，其實還有 3 個主要的因素，第一是，容易營造出「肺泡」意象（圓形像 Dome 的感覺），這個設計也是這次展示中相當重要的元素。利用圓形的金屬桁架外繃上白色萊卡布，搭配上水波燈投影的效果，營造血液流動的畫面，讓每位來參觀的民眾彷若置身在「肺」當中參觀展覽。第二是，架構出來的空間正可以用來吊掛投影機、安裝電腦以及裝置設備，同時營造出來較暗的地方也可以讓多媒體互動單元減少光害，呈現較佳的展示效果。第三則是，其金屬光

澤，與本展覽的採用多媒體展示手法似有相呼應的「高科技」感受。

圖 8.利用金屬桁架特性規劃出展場空間架構，意象為「肺泡」。

圖 9.圓形的金屬桁架，狀似 Dome，內部空間可用來架設多媒體設備。

圖 10.展場中運用到不同造型的金屬桁架。

圖 11.圓形是運用最多的結構體。

青春氧樂園特展主要展示構件分述如下：

（1）金屬桁架

架構出各展區主題、空間、做為各展示單元的結構體。金屬桁架（鋁合金材質）組合方式可多元變化，尺寸完整，從圓形至直式接頭都有，且有完整系統，可以依造需求塑造出不同的曲度或者長度，使得空間有多種變化，而其組裝型態是利用面與面方式處理，拆組合容易，可節省安裝

時間達到更精簡的效益，同時不易損壞且運輸方便。

（2）單獨展板

　　具備展示內容解說功用，闡述各主題分區主要內容。圖表板常因為搬遷時需要被破壞及拆解，如要再展出就必須再重製、補土，油漆以及輸出，時常耗費許多的時間以及人力，因此青春氧樂園特展在設計上就以單獨的展板作為主要的設計，以鐵件（支撐架）以及發泡板（內文張貼處）來作為這次展板的主要材料，而發泡板與鐵件間的固定則以魔鬼氈輔以釘槍的方式處理。

圖 12.鐵件搭配發泡板以魔鬼氈固定，組成單獨展板，機動性強。　圖 13.利用發泡板的特殊性，設計造型有趣的展板。

　　而選擇發泡板主要是因為其表面平整美觀、重量輕，能釘、鑽、刨、鉚、粘等，易於加工製作，在這次的巡展中，單獨展板相當耐用，保存得非常完整，幾乎沒有破損，節省許多重製的成本。而且在包裝時可以一片片疊起來打包，減少運送空間，降低移動時的成本耗損，而單獨的展板也可以視場地的狀況作調整，機動性強。

（3）單一展座，家電化的設計

　　青春氧樂園特展的互動單元除了利用金屬桁架來組裝

外，也有不少的單元的設計是以單一展座來呈現，達到互動單元家電化，也就是將展座移到展出地點，插上電源就可以展示，相當便利。

圖 14. 互動單元展示台，下方裝有輪子，方便搬運。　　圖 15. 多媒體設備以及感應裝置 2 合 1 的互動單元展示台。

　　而採用這樣設計的多半是僅以電腦設備來控制或是影音播放的單元，朝向規格化的方式來處理，展座設計上預留設備放置的展櫃，規劃散熱的空間、強化固定的方式，多項功能合而為一，整組是一項獨立的展示單元體，如此一來方便搬遷運送，包裝容易也不易損壞，在佈展時通常可以節省許多組裝和測試的時間。

　　三、移展工作分析

　　青春氧樂園特展移展的兩處國立館所（科教館、科博館）其場地面積都比原有場地（科工館）平均少了約 200 平方公尺，因此有部分的展品必須捨棄不展，所以一共刪除了 5 項展示單元，分別為 2 項情境造景，1 項互動單元，以及 2 項其他，而這些無法順利展出的展項有的是空間需求較大的展品，有的則是在原場地的展示效果不甚理想的。除此之外，也有現場重製以及修整的部分，包括：入口意象的設計輸出、操作說明板的油漆以及展櫃修補等等。

　　兩處移展地點除了面積較小外，場地相當方正。調整過後的展場空間，在動線上仍是以 A~I 區做線性式的串連，並無太大的變動，只不過「『菸』之非福～吸菸的壞處」，因其闡述的議題比較一般性再加上展示技法比較簡單（展板加影像播放裝置 2 合 1），所以意外成為兩個展場用來調整空間過道的「彈性單元」，民眾在進行完青春有氧卡的登錄後，通過體驗隧道後，先了解菸的組成成份以及吸菸對身體造成的傷害後，在逐一了解家庭、學校、職場的菸害防制推廣，也讓整個展覽參觀起來相當流暢。

　　青春氧樂園特展的移展工作，每一地的經費約為 180 萬元，需要 10-15 人，6 台貨車（15 噸 4 台，10 噸半 2 台），工作 10-14 天，其分階段進行的工作分別為放樣、金屬桁架架設、桁架繃布、展件搬運定位、重製單元清點設計、燈光架設、配電、互動單元定位測試組裝、現場修整到完成。其總經費分配比例以及移展各項工作經費分配（見圖 16 及圖 17）。

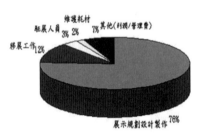

圖 16. 青春氧樂園特展總經費分配比例。本研究整理。　圖 17. 青春氧樂園特展移展工作經費分配比例。本研究整理。

四、小結

　　透過青春氧樂園特展的案例討論可以進一步回應到本文第參部分所談到的巡迴展示的四項基本構件原則上。在

標準化上，「金屬」是青春氧樂園特展中最大宗的材料，達到展示構件材料單純與簡化，在組合性上，獨立的展板、單一展座、金屬桁架的運用，面對不同的巡迴場域，空間有較多彈性的變化，機能性強，不會因為設計上既定的尺寸、高度導致無法拆解的窘境，各項展示單元之展示構件具備原則，選取的元素不外鐵件、木作、發泡圖板，甚至連多媒體的硬體設備規格也都儘量一致，可以相互運用，符合模組化的要求，在便捷性上，展具所選取的材料都符合易搬遷及拆解的特性。

雖然青春氧樂園特展不是科工館第一個對外輸出的巡迴展，不過卻是第一個自行規劃高互動且在教育部所屬的三個國立館所展出的特展，顯示科工館專業能力正逐漸提升，也漸漸從早期的展示輸入者，也轉化為展出輸出者。從前面的論述不難發現，它有兩大特點，其一、就是有足夠的經費，可以大量運用金屬桁架、鐵件這些成本較昂貴的材料，達到巡迴展組合性及便捷性的要求，其二、確定且性質相近的巡展地點，可以在一開始規劃的時候將三個巡迴點展場現況一併考量來進行設計，可以有效掌握成本，有這兩項特點，影響巡迴展示設計的因素相對降低許多，不過這項優勢也是把「雙面刃」，出這筆龐大經費的補助單位一定會以高標準來看每一項展品的設計創意與製作品質，用以檢核受補助單位人員的用心程度，而展覽輸出到國立的館所，該館人員也會以放大鏡來一窺展示是否符合國立博物館展示的標準，這把刀，絕對左右了它整體的設計也帶給筆者相當大的壓力。

伍 . 檢討與改進

所以從這個巡迴展經驗中發現，每個巡迴展示，都有它不同的優勢與劣勢，不同的合作背景，博物館須建立專

業團隊、展示構成及設計（符合巡迴展模式）整合之管理機制以確保施工品質。然而，確實落實管理機制，可改善目前因應不同巡迴點，依據基本構件原則透過轉化與實踐可以演化多種的巡迴展示態樣，使得資源能有效運用。從本展的實務經驗提出幾項關鍵技巧及建議，供其他有心致力於巡迴展規劃人員之參考。

一、遵守四大原則，達資源再利用，強化展示效能

對於巡迴展的規劃而言，很重要的一點就是因地、因錢制宜，同時以省時、省工以及省錢為最高指導原則，在規劃任何一項展示方式都應該從展示構件的機能性、經濟性與實用性加以考量，導入標準化、模組化、組合式、便捷性四大原則，才能有效運用經費，設計合宜展示，達成最佳的展演效果，使其物有所值。

從本次的實務經驗中發現，博物館在規劃展示之初，如能在設計之初即導入通用設計理論，妥善評估展示構件建的機能性，像青春氧樂園特展使用「金屬」達到展示構件材料單純與簡化，在組合性上，獨立的展板、單一展座、家電化的設計，面對不同的巡迴場域，空間有較多彈性的變化，機能性強，可以讓巡迴展示真正達成有效能的展示巡迴。

青春氧樂園特展在 2007 年結束預定的巡迴場次後，它並沒有就此打包到科工館的庫房中，束之高閣，它還繼續移展到澎湖縣、金門縣、高雄縣、新竹縣，現在還回到科工館再度展出，充分延伸其展示教育的功能，為巡迴展示做資源再利用了最佳的詮釋，而可以有這麼好的利用「價值」，都在於一開始的妥善設計。

二、從作中學，學中作養成專業團隊

培養專業團隊為的是可以有效實踐整個巡迴工作，這也獲得許多具有實務經驗的專家認同（翁駿德，2005；陳玟岑，2005；洪楚源，2006），這個團隊策展人須具備統籌整合能力，更需要規劃設計的人才，也需要了解工程材料的人員，透過分享、討論以及溝通，共同合作完成，策展人在計畫、執行、資源統合上的能力，也攸關一個展覽的成敗與教育推廣效益，必須擁有解讀各個展場狀況的能力，安排妥善的計畫時程，進而分析設計出最適合這個展覽的移動模式以及能有效發揮機能的展示構件；而工程材料人員則必須熟稔材料特性與運用方式、構件的結構性及組裝模式、設備的相容性及穩定度等等專業技術，以期在設計之初就能提出後續維修方式以及展品損壞後的替代方案，而從作中學，學中作是最容易累積經驗，養成專業。

　　三、巡迴地的守門人，設置駐展展示維修人員

　　高互動多媒體展覽，讓人最憂心的就是，「東西壞了怎麼辦？」，「第一時間無法立刻修好，觀眾會抱怨？客訴會上門」，肯定造成巡迴地點管理者的困擾，因此，特別在總經費中編列了駐展展示維修人員的項目，而選駐展維修人員的標準是必須具備修理機電與機械設備的基本素養以及實務經驗，而其主要的工作內容就是巡檢展覽、維修展品、維持展品正常運作、展品的操作、更新耗材和展品安全的維護、解答參觀民眾疑問等，成為巡迴地點的守門人。這個特別的規劃在這次的移展中，收到了不錯的效益，也獲得兩個館所人員一致的肯定，特別提出來與大家分享，或許在經費容許的情況之下，建議可以視狀況、視巡迴方式，選擇合適的人才進行駐點，應會收到不錯的效果。

　　國內外關於巡迴展示或者特展的文獻都是從展示策

略、借展機制、展示方法等角度切入，鮮少有專文文獻套討巡迴展示的態樣以及構件（林慧芬，2006），因此僅以此文拋磚引玉，希望博物館在巡迴展覽的面向、構件、態樣以及組合技巧上能有更多元的闡述以及發表，透過巡迴展演以更積極主動的方式帶給民眾更豐富精采的展示內容，畢竟從博物館新的發展趨勢看來，巡迴展應該是國內博物館未來要積極發展的展示業務，將展示「宅配」到有需要的地方將是博物館新的超級任務，同時也是一股無法抵檔的新浪潮。

第三夢
青春宅急便巡迴展

解夢密碼：校園展示‧學習成效‧高中生

I. 高中生認識博物館展示?!

　　青春宅急便 - 延續青春氧樂園 - 無菸,少年行的展示主軸,但這次的目標族群更精準,要前進高中校園,直接面對高中生,宣導菸害防制,所以這是一個為了到「校園展示」而製作的巡迴展,藉這個機會不僅進行拒菸、戒菸的宣傳,同時也讓課業繁忙的高中生,有機會直接接觸博物館展示。對博物館而言 這也是一個很難得的機會,可以直接宅配展示到 17 所高中校園,趁展示的機會,也好好的紀錄一下高中生在看完展示後的學習成效與感想。

青春宅急便巡迴展

II. 走進校園的博物館展示 - 青春宅急便

　　「換我玩了啦!」,「你幾分?」,「左邊左邊,右邊右邊」,「手要舉起來,才會贏!」,難以想像一個博物館的展

覽，到處洋溢著盈盈笑語，以及此起彼落的討論聲，這些歡喜與情緒，正是「青春氧樂園」受歡迎的最佳註解。優質的展示，值得持續的推廣，繼「青春氧樂園」之後，這一次科工館為因應 2009 年 1 月 11 日起「菸害防制法新規定」上路，特別推出「青春宅急便」巡迴展，這次展覽將內容設定在 15-18 歲的高中職學生，而且以本館為基地館的概念，主動出擊將展覽配送到學校，讓只顧著上課、補習、打工的高中職生只要花一點時間，便可以就近參與一場健康、青春的展示活動。

為更符合高中職學生的需求，這一次「青春宅急便」的展覽方式，做了很大的改變，第一「變」展覽 DIY：你想過原來展覽也可以像組裝櫃子一樣，自己動手 DIY？你也可以來試試做展示。第二「變」文字變漫畫：展覽當中密密麻麻的文字，讓人一看就頭痛，這一次科工館把這些文字通通變成漫畫，夠酷吧！第三「變」探索與分享：現場有許多互動單元是需要對照比較，探索解析，才能體驗結果，與同儕分享。

整個展覽分為 6 個區，藉由 4 則短篇漫畫，闡述抽菸對金錢、外貌以及社交人際關係的影響與改變，再深入揭開菸商在各地行銷菸品的詭計，同時也讓你在「十年後的我」單元中看到自己抽菸後的模樣，聽聽成功戒菸者的「生命證言」，親手

青春宅急便特展 - 以漫畫呈現展示內容

觸摸「真實的肺」，接受「菸害防制一點靈」的挑戰，了解法令新規定，呼出「一口氣」，試試自己的肺還健康嗎？最重要的是別忘了到「巨型天秤」前投下你真心的「拒菸

宣言」。

　這個展覽對於正在抽菸、想要戒菸、從不抽菸以及推展菸害防制教育的人而言，都是一個非常好的交流平台，科工館歡迎你用心參與這個展覽！

青春宅急便巡迴展－模組化展品方便走進校園

當時參與巡迴展示的 17 所學校

巡迴參展學校：嘉義縣私立協志高級中學、嘉義市私立興華高級中學、國立嘉義高級商業職業學校、嘉義市私立東吳高級工業家事職業學校、國立新營高級中學、國立北門高級農工職業學校、國立新化高級工業職業學校、台南市私立慈幼高級工商職業學校、台南市私立崑山高級中學、台南市私立長榮高級中學、高雄縣私立高苑高級工商職業學校、高雄縣私立旗美高級商工職業學校、高雄市私立三信家事商業職業學校、高雄市私立樹德高級家事商業職業學校、高雄市私立立志高級中學、屏東縣屏榮高級中學、屏東縣私立華洲高級工業家事職業學校

III. 「青春宅急便」巡迴展學習成效個案分析

壹 . 展示個案源起與背景

　　根據國際衛生組織（World Health Organization,WHO）之調查預估與菸害相關的死亡率，至 2020 年將達 840 萬人口（Sussman, Sun, & Dent, 2006）。台灣學生開始吸菸的年齡是 12~14 歲，菸商視青少年為搖錢樹，「吸得愈久，賺得愈多」，常利用媒體廣告或贊助各種活動，以營造優質形象挑起青少年吸菸的慾望，甚至宣稱「清淡、溫和、有機的、低焦油量」，帶給青少年錯誤訊息，認為「一菸在手，煩惱均拋」，或感覺吸菸者「有智慧、成熟、性感」等印象，讓青少年是非觀念混淆，也降低健康危機意識。殊不知長期吸菸卻可能讓你從頭到腳都有機會遭受的病痛的侵害，簡言之就是「凡走過必留下痕跡」。但對時下年輕人而言，總覺得癌症、高血壓，這些病痛離自己很遠，除此之外，吸菸不只引起器官病變，對人的外表也會起變化的，如果有人一開口就嘴巴臭，牙齒黃，對他的人際關係甚至工作機會都會有影響。

　　為了「落實無菸環境」與「大幅提高菸價」，2009 年 1 月 11 日菸害防制新規定正式上路，菸品健康福利捐自 2009 年 6 月 1 日起調漲為 20 元，這些規定是促成癮君子戒菸、減少菸品消耗量及降低青少年吸菸率最有效的方式。然而，目前針對青少年的菸害防制教育，多偏重知識性、理論性的傳授，其實施方式大都以靜態、單向教學為主，教育模式較嚴肅、單調、僵硬，較欠缺說服力與吸引力。有鑑於此，行政院衛生署國民健康局（以下簡稱健康局）為了幫助青少年認識與瞭解菸品的危害，進而拒菸、戒菸，故於 2008 年補助國立科學工藝博物館（以下簡稱科工館）辦理「青春宅急便」展示活動計畫（以下簡稱青春宅急便

巡迴展），這是一個以高中職學生為主要對象的展覽，從
2008 年 4 月 ~2009 年 12 月利用約 1 年半的時間主動出擊
將展覽配送到嘉義以南學校，透過全國第一個走進校園的
菸害防制展，讓忙於上課、補習、打工的高中職生在校只
要花一點時間，便可以參與一場健康、青春的展覽。

　　「青春宅急便」巡迴展以「輕便、易組裝」的方式
為設計考量，其設計理念以「漫畫、遊戲、分享」結合科
技與創意概念輕鬆有趣的互動體驗讓青少年瞭解「只要青
春，不要菸」，讓你省一包菸圓夢，享受屬於自己無菸的
青春。另外，本次的展示手法上以恐懼訴求的影片（吸菸
者戒菸的親身經歷）、互動單元（吸菸所引起的病變）和
真實的豬肺（健康的肺與抽過菸的肺），搭配多圖少字、
多媒體互動的方式來規劃，吸引目標族群親近展示，參與
展示。過去研究指出以多媒體互動、遊戲、漫畫方式學習，
能引起學生的興趣、好奇心與學習樂趣（李咏吟，1998；
Jenkins, 2002；McFarlane, Sparrowhawk, & Heald, 2002；陳
玫岑、葛子祥，2007）。

　　有鑑於此，本文期望透過到校巡迴展示時對參與學生
之學習成效進行調查研究，以便了解高中職學生參觀展覽
前後對於菸害防制常識的認知以及觀念，以做為科工館日
後修正展示內容或相關導覽規劃之依據，同時也提供政府
相關單位擬定有關菸害防制課程及宣導措施之參考。

貳. 展示個案設計理念

　　本次巡迴展以寓教於樂的體驗模式，吸引高中職學生
參與展覽。根據展示個案源起、背景以及目的，本次展示
個案的設計理念涵括，展示設計理論、學習方法以及情緒

體驗與恐懼訴求相關文獻的探討。

一、博物館展示設計理論

　　Michael Belcher(1991)展示設計之最初考慮如何去影響觀眾，將展示類型分為情感型的、教育型的、娛樂型的展示手法。情感型以戲劇效果與營造環境氣氛的手法引起觀眾興趣。教育型的展示綜合了知性與感性，做符合教學目標、設計與程序的展示。娛樂型的展示以電腦互動式展示媒體與個人之互動、感應型的燈光音響設備、主題式以整個故事之敘述展示（陳育成，2008）。呂理政（1999）博物館類型的多樣式直接刺激新展示理念和方法的形成，將其展示手法區分為文物展示、活體展示、情境展示、模型展示與視聽展示。而「青春宅急便」則使用了呂理政所提之方式設計。

二、學習方法

　　學校教科書或許是揮不去「八股教條」的刻板印象，純理論的公式定理多，有實用價值的少，而漫畫總讓人覺得生動、活潑。為能打破科學生硬無趣的刻板印象，科學博物館的展示呈現手法與風格應可以從漫畫中學習，可成為吸引觀眾的因素（陳玫岑、葛子祥，2007）。活動設計以親身體驗為最佳，同儕參加可相互學習合作，藉由參與過程澄清學生的價值觀，培養觀察力（陳志欣，2002）。多元媒體是實現情境認知學習的有效工具，其具備了該教學論的設計原則。不但逼真，而且透過精心設計的軟體，發展出具有交織和連結的故事性，引起學生的興趣，學生在操作過程中，不但可以反省學習過程，也能讓學生在循環執行中，接觸更多意外的可能（李咏吟，1998）。遊戲的挑戰性、不可預測性及競爭性是玩遊戲的動力來源，可以引發玩家的好奇心與內在動機，甚至於提昇學習

成　效（Jenkins, 2002；McFarlane, Sparrowhawk, & Heald, 2002）。

　　結合電腦與多媒體，以聲光影像、模擬等技術，刺激觀眾的視覺、聽覺、觸覺、嗅覺甚至味覺，引發學習的興趣（張崇山，2004）。結合空間主題情境、視覺媒體科技、裝置應用及參與式的體驗方式，透過這些新的科技媒材，將菸害防制這項議題做重新的詮釋與萃取，加強目標對象對菸害防制議題的認知（蘇芳儀、黃惠婷、盧昭蓉，2006）。科技與網際網路的應用學習引發全面性的變革，將知識數位化並結合新式互動媒體的教學模式，可以將知識經由不一樣的途徑傳遞（諶佳蘭、余玫萱，2005）。

　　三、情緒體驗與恐懼訴求

　　（一）情緒體驗意涵

　　情緒(Emotion)這個字眼在生活中廣泛地被使用，一般而言，情緒乃是一種個人心理特徵，主要由於情感(Affect)、感情(Feeling)、心情(Mood)等用語常被廣泛地交互運用(Gardner, 1985)。Dube and Menon(2000)指出情緒是一種組織、整合過程的型態，包含心理及生理上對先前事件的回應與評價、對當時心情狀態的反應。Izard(1972)指出每一種情緒皆可被度量，發展出區別性情緒項目表（如表一）。

表一　區別性情緒項目

基本情緒	形容詞項目		
興趣	留意的	專注的	警覺的
愉快	欣喜的	快樂的	喜悅的
驚訝	驚訝的	驚奇的	震驚的
苦惱	灰心的	悲傷的	沮喪的
憤怒	激怒的	憤怒的	激動的
厭惡	憎厭的	厭惡的	反感的
恐懼	驚恐的	害怕的	畏懼的

資料來源：Izard(1972)

Plutchik(1980)將情緒分為八種情緒類型，包括恐懼、生氣、快樂、悲傷、接受、厭惡、期待與驚訝，並且主張情緒具有多重的維度。Shaver, Schwartz, Kirson, and O'Connor(1987)認為有六大基本正向與負向情緒包括愛(love)、快樂(joy)、驚訝(surprise)、生氣(anger)、傷心(sadness)、害怕(fear)。林俊宏(2008)包括正面情緒（例如輕鬆、愉悅、興奮、快樂等）和負面情緒（例如焦慮、悲傷、憤怒、羞愧等）。

（二）恐懼訴求意涵

恐懼訴求是以驚嚇受眾達成說服目標的說服訊息，不僅描述與受眾個人相關且重要的威脅以激發受眾情緒恐懼，訊息中也提供如何有效且可行的嚇阻威脅的建議(Witte, 1992; Stiff, 1994)。Higbee(1969)恐懼訴求是建議人們改變其態度或行為，以避免那些不良的結果。恐懼性廣告訴求通常運用在一些不受歡迎的行為之上，像是抽菸，將它與負面的結果，例如和肺癌相連結在一起。Leventhal(1970)將恐懼訴求簡單定義為包含〝令人毛骨悚然的內容〞（例如，血淋淋的車禍現場、病變的皮膚、潰爛的口腔或者變形的面頰等）的訊息。有關恐懼訴求的定義可以分為兩個面向包括訊息內容（message content）或受眾反應（audience reactions）；換言之，恐懼訴求可以指涉鮮明生動或個人化的陳述以及殘酷的圖片或影片，另外則是透過受眾的自我陳述檢驗恐懼訴求的高低（廖貞惠，2003）。

許多學者都認為恐懼訴求會影響行為與訊息的說服力，較重度的恐懼訴求，其效果比較弱恐懼訴求為強，尤其是應用在與健康及安全方面的主題，例如牙齒衛生保健、抽菸、AIDS 預防、駕駛的安全性（Higbee,1969；Latour & Pitts,1989）。過去針對恐懼訴求的研究以恐懼作為訴求的廣告為主，指出恐懼廣告效果比起那些以溫暖、活潑，或

是沒有情感作為訴求的廣告，會有較佳的記憶以及較多的廣告回憶率（Hyman & Tansey, 1990）。因此本研究將使用一些吸菸者戒菸親身經驗的影片和真實的豬肺（吸菸的肺與健康的肺）為訴求，讓同學了解吸菸後的下場，進而引起害怕的感覺和愛惜自己健康的想法。

參.展示個案調查設計

一、問卷設計

為了解參觀學生參觀「青春宅急便」巡迴展前、後對菸害防制知識的認知率是否改變，藉此了解其學習成效，本次的問卷設計與展示內容及單元互相配合（見表二，問卷見附件），採用封閉式（選擇題）與開放式的問卷設計，以期讓受測者更能在參觀展覽當中得到本展示所要傳遞的正確知識，以利學習成效影響之評估。問卷內容包括三大

表二　與問卷題項搭配之展示單元

項次	問卷題目	配合展示單元（恐懼訴求）	展示內容摘要
封閉式（選擇題）			
1	請問菸害防制新規定將於何時正式上路，室內公共場所、三人以上室內工作場所、大眾運輸工具及旅客等候室等全面禁止吸菸？	1. 漫畫圖板 2. 菸害防制一點靈 3. 菸害常識 Q&A	說明 2009 菸害防制新規定。
2	您知道菸害防制新規定為了加強青少年健康，未滿十八歲抽菸者將加重懲處，需強制接受戒菸教育，父母與監護人應使行為人到場，違者還須處多少罰鍰，並按次連續處罰？	1. 漫畫圖板 2. 菸害防制一點靈 3. 菸害常識 Q&A	說明 2009 菸害防制新規定。
3	想請求協助戒菸，可以透過撥打行政院衛生署國民健康局委託「張老師」基金會免付費戒菸專線，請問免付費專線是？	1. 漫畫圖板 2. 菸害防制一點靈 3. 菸害常識 Q&A	說明 2009 菸害防制新規定。

4	您知道吸菸除了造成容貌未老先衰外，從頭到腳都有機會遭受病痛的侵害如罹患癌症、呼吸道疾病、高血壓、導致男性勃起功能障礙、女性不孕容易流產？	1.漫畫圖板 2.魔鏡（恐懼訴求） 3.10年後的我（恐懼訴求） 4.豬肺幫浦（恐懼訴求） 5.生命證言（恐懼訴求）	説明吸菸對身體所造成的傷害以及各種疾病發生的情形。
5	您知道亞洲國家中，是唯一香菸比漢堡還要便宜的國家？	漫畫圖板	比較各國菸價以及菸稅。
6	香菸釋放出有毒氣體一氧化碳會令身體出現缺氧現象，請問吸菸者呼出的氣體通常一氧化碳含量為多少嗎？	我的青春正行科教活動~一氧化碳比一比	透過儀器測試呼吸系統的功能以及狀況。
7	香菸會導致氣流阻塞，請問肺功能測試吹氣結果強迫呼吸氣量在多少以下，代表要多多運動強健體魄？	我的青春正行科教活動~肺功能測試	透過儀器測試呼吸系統的功能以及狀況。
8	請問參觀這樣一個菸害防制為主題的展覽，會讓你想戒菸嗎？	整個展覽	透過展覽推展菸害防制教育。
9	請問參觀這樣一個菸害防制為主題的展覽，會讓你了解菸害防制的重要？	整個展覽	透過展覽推展菸害防制教育。
10	請問參觀這樣一個菸害防制為主題的展覽，會影響你反菸拒菸的觀念嗎？	整個展覽	透過展覽推展菸害防制教育。
開放式			
11	看完展覽，你的感想為何？	整個展覽	透過展覽推展菸害防制教育。
12	菸害防制的主題，用這樣的呈現方式，你覺得如何？	整個展覽	透過展覽推展菸害防制教育。
13	看完展覽，對你有什麼樣的影響？	整個展覽	透過展覽推展菸害防制教育。

部份，第一部份為對「菸害防制常識的認知以及觀念」共10題，涵括：菸害防制常識、菸害防制新規定內容以及健康的呼吸系統等，全為單選題，有7個問題是「有」正確

答案（題項 1~7），3 個問題則「無」，偏重觀念及意識形態的問題（題項 8~10），第二部份開放式問題，主要在了解受測者看完展覽的的感想與心得共 3 題，第三部份為個人基本資料共 3 題，包括性別、教育程度、居住地。

二、本研究限制

受測者以巡迴展地點的學校學生為主，而受測學生則由該校教官選定，被限制在某一些特定的學校。學校有區域性限制，分布在嘉義縣市、台南縣市、高雄縣市以及屏東縣，受測者為同一教育程度，都是高中職學生。

三、樣本與問卷資料收發流程

本問卷以參與青春宅急便巡迴展之高中職學生為研究對象，總共巡迴 11 所學校，包括嘉義地區 3 間、台南地區 3 間、高雄地區 3 間及屏東地區 2 間。於各校展覽期間，先徵詢學校師同意後，由該校選出受測者，通常為同一年級的 3 個班級採實地發放的方式進行，由青春宅急便巡迴展的駐展人員於受測者參觀前先發放前測問卷，參觀完畢後再填寫後測問卷，而前後測問卷的題項是一樣的。每間學校前、後測問卷各發放 100 份，總共發放前、後測問卷份數各為 1,100 份，問卷施測期間從 2008 年 4 月至 2009 年 12 月，共計回收有效前後測問卷總共各 929 份，問卷有效回收率為 84.5%。

四、資料分析方法

使用 SPSS 統計軟體為分析工具，將個人基本資料，使用描述性統計以次數分配、百分比加以分析，了解各衡量變項之分布狀況並反映出原始資料之特性。其次，本次前後測問卷所受測的學生，前後是同一批學生，而進行此問卷調查主要想瞭解同學看展覽前、後對菸害防制常識認知

的學習成效情況，因此使用 McNemar 分析（即相依樣本的卡方檢定），主要檢測兩相依樣本（即相同的人，在不同時間做測量或配對資料），適用於兩個關聯樣本的資料，其中將 X 與 Y 相關的名目變項以（0）與（1）兩種類型來表示，在檢定的過程中，整理成 2×2 的列聯表，以進行檢定分析。此外，卡方分配要求題項列聯表每個格子(cell)之期望值儘量大於 5 個，因此將巡迴 11 所學校以地區合併，其分析結果檢定統計量精確顯著性（雙尾）P 值 < 0.05，表示同學看展覽前、後對菸害防制常識認知的學習成效有顯著差異。此外，檢測性別是否對展覽前、後的菸害防制常識認知的學習成效有顯著差異。

五、質性研究分析

採用內容分析法，質性研究衡量的準則本研究參考 Izard(1972) 區別性情緒項目表，將情緒分類為三個正向情緒（愉快、興趣、驚訝），三個負向情緒（恐懼、厭惡、悲傷）。

肆．展示個案調查結果分析

一、量化成果分析

（一）同學基本資料分析

根據十一地統計所得（參考表三），關於性別部份，女性多於男性，佔 57.3%；在教育程度上，低年級（高中職一年級）佔 53.1% 最多，其次為高年級（高中職二、三年級）佔 46.9%。而居住地以高雄縣 / 市佔 27.4% 最多，其次為台南縣 / 市佔 25.9%。

（二）同學對菸害防制展覽「認知」調查

項目 巡迴地		性別		教育程度		居住地				
		男	女	低年級	高年級	嘉義 縣/市	台南 縣/市	高雄 縣/市	屏東 縣/市	其它 縣市
嘉義地區	人數	81人	188人	136人	133人	229人	12人	0人	0人	15人
	百分比(%)	30.1	69.9	50.6	49.4	89.6	4.8	0	0	5.6
台南地區	人數	107人	126人	100人	133人	5人	226人	2人	0人	0人
	百分比(%)	45.9	54.1	42.9	57.1	2.1	97.0	0.9	0	0
高雄地區	人數	105人	152人	162人	95人	0人	3人	248人	6人	0人
	百分比(%)	40.9	59.1	63.0	37.0	0	1.2	96.5	2.3	0
屏東地區	人數	104人	66人	95人	75人	0人	0人	5人	163人	1人
	百分比(%)	61.2	38.8	55.9	44.1	0	0	2.9	96.5	0.6
全部同學	人數	397人	532人	493人	436人	234人	241人	255人	169人	16人
	百分比(%)	42.7	57.3	53.1	46.9	25.2	25.9	27.4	18.2	3.3

表三　同學基本資料分析

1. 關於新上路的菸害防制新規定與戒菸專線

　　從 1.2.3 題結果顯示，針對性別方面，男性與女性看展覽前、後對於「新上路的菸害防制新規定與戒菸專線」的學習成效有顯著差異性（P ＜ 0.05）。以不同區域學校分析，發現只有題項一嘉義與台南地區學校同學對看展覽前、後對於菸害防制常識認知的學習成效沒有顯著差異性。全部同學對於菸害防制新規定認知情形，在看展覽前答錯菸害常識題項而看展覽後接受菸害觀念正確率均較為提高（參考表四、表五、表六）。針對新規定的內容以及戒菸專線，

「青春宅急便」巡迴展設計了幾項互動單元，包括：「菸害防制一點靈」設計了 0800636363 戒菸專線為寶藏密碼，以遊戲方式的學習法，讓青少年學生了解面對新規定時自身須注意的權利以及義務，提昇其正確知識。另，也設計「菸害常識之拒菸天秤」，想參與投票同學必須看完展覽後，填答資料庫中與展覽內容相關的問題，5 題完全答對者才可以獲得專屬投票卡一張，進行投票，也表示都通過菸害常識 Q&A 的考驗。

  2. 對於吸菸所造成的疾病

圖 2. 菸害防制一點靈展示單元蔡佳燕攝影

圖 1. 菸害常識之拒菸天秤展示單元蔡佳燕攝影

表四　同學對於新上路的菸害防制新規定實施學習成效情形

1.『菸害防制新規定將於98年1月11日正式上路，室內公共場所、三人以上室內工作場所、大眾運輸工具及旅客等候室等全面禁止吸菸』。

巡迴地	項目	前測答對後測答對	前測答對後測答錯	前測正確率	前測答錯後測答對	前測答錯後測答錯	後測正確率	McNemar檢定 P Value
性別	男性	282 人	22 人	81.5%	52 人	17 人	89.5%	0.00*
	女性	458 人	24 人	87.8%	50 人	24 人	92.5%	0.00*
區域	嘉義地區	223 人	13 人	87.7%	24 人	9 人	91.8%	0.10
	台南地區	179 人	17 人	84.1%	28 人	9 人	88.8%	0.14
	高雄地區	208 人	11 人	85.2%	27 人	11 人	91.4%	0.02*
	屏東地區	130 人	5 人	79.4%	23 人	12 人	90.0%	0.00*
全部同學		740 人	46 人	84.6%	102 人	41 人	90.6%	0.00*

註：P < 0.05，代表顯著性 (*)

表五　同學對於新上路的菸害防制新規定罰責學習成效情形

2.『為了加強青少年健康，未滿十八歲抽菸者將加重懲處，需強制接受戒菸教育，父母與監護人應使行為人到場，違者還須處2千-1萬元罰鍰，並按次連續處罰』。

巡迴地	項目	前測答對後測答對	前測答對後測答錯	前測正確率	前測答錯後測答對	前測答錯後測答錯	後測正確率	McNemar檢定 P Value
性別	男性	206 人	38 人	65.4%	83 人	46 人	77.5%	0.00*
	女性	372 人	39 人	74.9%	100 人	38 人	86.0%	0.00*
區域	嘉義地區	173 人	25 人	73.6%	53 人	18 人	84.0%	0.00*
	台南地區	124 人	21 人	72.2%	62 人	26 人	79.8%	0.00*
	高雄地區	175 人	20 人	75.9%	39 人	23 人	83.3%	0.02*
	屏東地區	113 人	11 人	72.9%	29 人	17 人	83.5%	0.00*
全部同學		585 人	77 人	71.3%	183 人	84 人	82.7%	0.00*

註：P < 0.05，代表顯著性 (*)

表六　同學對於新上路的菸害防制新規定戒菸專線學習成效情形

項目　　　　巡迴地		前測答對後測答對	前測答對後測答錯	前測正確率	前測答錯後測答對	前測答錯後測答錯	後測正確率	McNemar檢定 P Value
性別	男性	232 人	22 人	68.1%	78 人	41 人	83.1%	0.00*
	女性	348 人	39 人	70.5%	105 人	57 人	82.5%	0.00*
區域	嘉義地區	170 人	17 人	69.5%	60 人	22 人	85.5%	0.00*
	台南地區	156 人	13 人	72.5%	41 人	23 人	84.5%	0.00*
	高雄地區	147 人	22 人	65.8%	47 人	41 人	75.5%	0.00*
	屏東地區	114 人	9 人	72.4%	35 人	12 人	87.6%	0.00*
全部同學		587 人	61 人	69.8%	183 人	98 人	82.9%	0.00*

註：P < 0.05，代表顯著性 (*)

　　針對性別、不同區域學校方面，男性與女性、各地區學生均對看展覽前、後對於「吸菸除了造成容貌未老先衰外，從頭到腳都有機會遭受病痛的侵害」認知的學習成效有顯著差異性（P < 0.05）。全部同學看展覽前答錯菸害常識題項而看展覽後接受菸害觀念正確率均較為提高（參考表七）。對於吸菸所造成的疾病，同學透過「魔鏡」及「生命證言」展示單元，可以看出同學對吸菸所導致身體傷害已有相當程度的認識與了解。

　　3. 關於台灣的菸價比漢堡便宜

圖 3. 生命證言展示單元 蔡佳燕攝影　　圖 4. 魔鏡展示單元 蔡佳燕攝影

表七　同學對於吸菸所造成的疾病學習成效情形

項目 巡迴地		前測答對 後測答對	前測答對 後測答錯	前測 正確率	前測答錯 後測答對	前測答錯 後測答錯	後測 正確率	McNemar 檢定 P Value
性別	男性	254 人	23 人	74.3%	62 人	32 人	84.7%	0.00*
	女性	370 人	50 人	76.5%	95 人	34 人	84.7%	0.00*
區域	嘉義地區	183 人	24 人	77.0%	40 人	22 人	82.9%	0.01*
	台南地區	172 人	19 人	82.0%	37 人	5 人	89.0%	0.02*
	高雄地區	172 人	17 人	73.5%	41 人	27 人	82.9%	0.00*
	屏東地區	106 人	13 人	70.0%	39 人	12 人	85.3%	0.00*
全部同學		633 人	73 人	76.0%	157 人	66 人	85.0%	0.00*

> 4.『您知道吸菸除了造成容貌未老先衰外,從頭到腳都有機會遭受病痛的侵害如罹患癌症、呼吸道疾病、高血壓、導致男性勃起功能障礙、女性不孕容易流產。

註:P ＜ 0.05,代表顯著性(*)

　　針對性別、不同區域學校方面,男性與女性、各地區學生均對看展覽前、後對於菸害防制常識「台灣是唯一香菸比漢堡還要便宜的國家」認知的學習成效有顯著差異性(P ＜ 0.05)。全部同學在看展覽前答錯題項而看展覽後接受菸害觀念正確率均較為提高(參考表八)。顯示以「漫畫方式」讓同學瞭解菸害常識具成效。

　　4. 科教活動

圖 5 & 6. 漫畫圖板展示單元　蔡佳燕攝影

跨界難不難？——用展示寫夢想

項目　　　巡迴地		前測答對後測答對	前測答對後測答錯	前測正確率	前測答錯後測答對	前測答錯後測答錯	後測正確率	McNemar檢定 P Value
性別	男性	156 人	37 人	51.7%	98 人	82 人	68.1%	0.00*
	女性	248 人	77 人	59.2%	120 人	104 人	67.0%	0.02*
區域	嘉義地區	154 人	30 人	68.4%	54 人	62 人	77.3%	0.01*
	台南地區	110 人	23 人	57.1%	50 人	50 人	68.7%	0.00*
	高雄地區	118 人	38 人	60.7%	63 人	38 人	70.4%	0.02*
	屏東地區	60 人	23 人	48.8%	51 人	36 人	65.3%	0.00*
全部同學		442 人	114 人	59.8%	218 人	186 人	71.0%	0.00*

5.『您知道亞洲國家中，台灣是唯一香菸比漢堡還要便宜的國家』。

註：P < 0.05，代表顯著性 (*)

　　展示當中特別設計的科教單元「一氧化碳」和「肺功能」的測試，主要要讓參觀者了解吸菸對身體呼吸器官的影響以及達健康的標準數據為何。

　　針對性別、不同區域學校方面，男性與女性、各地區學生均對全部同學看展覽前、後對於菸害防制常識「一氧化碳」和「肺功能」的測試」認知的學習成效有顯著差異性（P < 0.05）。從前測答對人數發現多半同學不知道「標準數據為何？以及其意義」，但在進入展覽中實際使用後，果然答對人數進而提升（參考表九、表十）。顯示透過本次的展示單元，同學更能了解體內一氧化碳含量以及肺功能量，需有何種標準才代表正常與健康。

　　5. 同學對菸害防制展覽觀念調查

圖 7&8. 一氧化碳比一比及肺功能展示單元 蘇芳儀攝影

表九　同學對於菸害常識「一氧化碳」學習成效情形

6.『香菸釋放出有毒氣體一氧化碳會令身體出現缺氧現象，吸菸者呼出的氣體通常一氧化碳含量為 7ppm 以上。』

		前測答對 後測答對	前測答對 後測答錯	前測 正確率	前測答錯 後測答對	前測答錯 後測答錯	後測 正確率	McNemar 檢定 P Value
性別	男性	95 人	53 人	40.0%	100 人	125 人	52.3%	0.00*
	女性	206 人	69 人	50.1%	148 人	143 人	64.5%	0.00*
區域	嘉義地區	102 人	29 人	48.7%	81 人	67 人	68.0%	0.00*
	台南地區	75 人	25 人	42.9%	68 人	65 人	61.4%	0.00*
	高雄地區	95 人	43 人	53.7%	52 人	67 人	57.2%	0.41
	屏東地區	29 人	25 人	31.8%	47 人	69 人	44.7%	0.00*
全部同學		301 人	122 人	45.5%	248 人	268 人	59.1%	0.00*

註：P < 0.05，代表顯著性 (*)

表十　同學對於菸害常識「肺功能」學習成效情形

7.『香菸會導致氣流阻塞，請問肺功能測試吹氣結果強迫呼吸氣量在 80%以下，代表要多多運動強健體魄。』

項目 巡迴地		前測			後測			McNemar 檢定 P Value
		前測答對 後測答對	前測答對 後測答錯	正確率	前測答錯 後測答對	前測答錯 後測答錯	正確率	
性別	男性	86 人	43 人	34.6%	103 人	141 人	50.7%	0.00*
	女性	162 人	67 人	41.7%	170 人	157 人	60.5%	0.00*
區域	嘉義地區	83 人	27 人	40.9%	91 人	68 人	64.7%	0.00*
	台南地區	55 人	19 人	31.8%	68 人	91 人	52.8%	0.00*
	高雄地區	77 人	39 人	45.1%	60 人	81 人	53.3%	0.04*
	屏東地區	33 人	25 人	34.2%	54 人	58 人	51.2%	0.00*
全部同學		248 人	110 人	38.5%	273 人	298 人	56.1%	0.00*

註：P < 0.05，代表顯著性 (*)

　　針對性別、不同區域學校方面，從 8.9.10 題發現，男性與女性、各地區學生均對看展覽前、後對菸害防制常識偏重觀念及意識形態的問題無顯著差異性（P > 0.05），顯示要透過一次的菸害防制展覽就要改變同學原本既有的觀念，不論是本來就不吸菸或者馬上就戒菸是不容易的，也就是說，對於在看展前本來就抽菸的同學，不會一看完展示，走出展場馬上就戒菸，更驗證了菸害防制的教育需要長時期經營以及推廣，才容易發生潛移默化的效果。（參考表十一、表十二、表十三）。

　　6. 小結

表十一　同學對於菸害防制觀念『戒菸』的學習成效情形

8.『請問參觀這樣一個菸害防制為主題的展覽，會讓你想戒菸嗎?』					
巡迴地　　　　　　項目	前測會後測會	前測會後測不會	前測不會後測會	前測不會後測不會	McNemar檢定P Value
性別　男性	45 人	21 人	32 人	297 人	0.17
性別　女性	38 人	33 人	43 人	420 人	0.30
區域　嘉義地區	66 人	8 人	21 人	222 人	0.26
區域　台南地區	10 人	15 人	13 人	197 人	0.85
區域　高雄地區	36 人	26 人	30 人	163 人	0.69
區域　屏東地區	19 人	5 人	11 人	135 人	0.21
全部同學	83 人	54 人	75 人	717 人	0.08

註：P < 0.05，代表顯著性 (*)

表十二　同學對於菸害防制觀念『了解其重要』學習成效情形

9.『請問參觀這樣一個菸害防制為主題的展覽，會讓你了解菸害防制的重要?』					
巡迴地　　　　　　項目	前測會後測會	前測會後測不會	前測不會後測會	前測不會後測不會	McNemar檢定P Value
性別　男性	242 人	24 人	40 人	67 人	0.16
性別　女性	425 人	42 人	53 人	36 人	0.31
區域　嘉義地區	211 人	14 人	66 人	26 人	0.60
區域　台南地區	168 人	15 人	21 人	29 人	0.41
區域　高雄地區	171 人	26 人	31 人	29 人	0.60
區域　屏東地區	117 人	11 人	23 人	19 人	0.16
全部同學	667 人	66 人	93 人	103 人	0.07

註：P < 0.05，代表顯著性 (*)

表十三　同學對於菸害防制觀念『反菸拒菸』學習成效情形

10.『請問參觀這樣一個菸害防制為主題的展覽，會影響你反菸拒菸的觀念嗎?』						
巡迴地	項目	前測會 後測會	前測會 後測不會	前測不會 後測會	前測不會 後測不會	McNemar 檢定 P Value
性別	男性	196 人	35 人	50 人	92 人	0.13
	女性	374 人	37 人	40 人	105 人	0.82
區域	嘉義地區	173 人	23 人	28 人	45 人	0.58
	台南地區	161 人	9 人	16 人	47 人	0.23
	高雄地區	153 人	25 人	27 人	52 人	0.89
	屏東地區	83 人	15 人	19 人	53 人	0.61
全部同學		570 人	72 人	90 人	197 人	0.18

註：$P < 0.05$，代表顯著性 (*)

　　針對封閉式問卷題項部分，在有正確答案 1~7 題的部分，調查分析顯示透過展示教育發現參觀的學生在菸害防制的「認知」都有顯著的改變，也就是說，看展前有些學生對吸菸所造成的影響有錯誤知識，但是在看展後都得到正確的知識，有助於對菸害防制的常識具備正確觀念以及累積正確的知識。

　　不過進一步分析各題項在前測的正確率，以與「菸害防制新規定」有關的題項其平均前測正確率最高，為 77.9%，可以發現為因應 2009 年 1 月 11 日的新規定上路，政府機關以及學校單位的加強宣導發揮了一定的效益。而前測正確率最低的則是「科教活動~一氧化碳以及肺功能測試」，平均前測正確率為 42%，顯示學校教育在青少年在生理學以及呼吸器官的功能等有關健康知能的課程是較缺

乏的，需要加以強化。

二、質化成果分析

（一）正向情緒

1. 愉快

(1) 用活潑的方式告訴我們一些知識，比用演說的方式還要更吸引人。

(2) 呈現這樣的方式很符合現代年輕人的想法。

(3) 有很多好玩的遊戲關卡，也能多了解二手菸的許多壞處。

(4) 以輕鬆愉悅心情的方式觀賞展覽，效果更好。

(5) 我覺得很好玩，很 funny！跟以往全部都是海報不同，讓學生可以親手玩一些東西，可以加深菸害防制的常識。

(6) 有許多可以親身體驗的關卡，我覺得很快樂。

(7) 非常棒，以輕鬆的遊戲方式來討論嚴肅的議題！

(8) 參觀展覽心情很欣喜，例如菸害常識 Q & A，答對就說：『你好帥』，答錯就說：『你好瞎』。

(9) 與平常的菸害防制展覽不同，這展覽讓我充滿活力，很興奮的想挑戰各項互動單元。我最喜歡互動類的遊戲（不過戒菸方法跑跳碰機器好難…）測肺功能的機器也很新奇，哇哈哈，我吹氣結果 39%（身體太遜啦！）

(10) 看影片和玩遊戲的方式，讓我們輕鬆快樂學習，不像以前是看書覺得很無聊。

2. 興趣

(1) 很棒！也抓住我們對什麼比較感興趣（例如戒菸方法跑跳蹤、菸害常識 Q & A 互動單元等）

(2) 漫畫不錯，少了很多文字的敘述，卻能更凸顯主題。

(3) 我覺得很好玩和生活化，能讓學生學習的比較快，較容易吸收。

(4) 好玩，可以看抽菸十年後的自己，還有跑步機很刺激，也可以知道自己的肺活量健不健康。

(5) 我覺得很有趣，菸害防制的主題以不同的呈現方式，很”多元化”。

(6) 有趣與好多元化，大家藉由遊戲、影片和漫畫圖片來了解抽菸的害處

(7) 很好玩，機會教育 100 分。

(8) 很有趣，有寓教於樂效果！讓吸菸的人有所警惕！

(9) 具有宣導的作用，教育兼具遊戲的展覽，蠻好玩的！

(10) 遊戲設施都很有趣，尤其是『十年後的我』。影片就很可怕，非常警惕作用。

(11) 有很多好玩的遊戲，學習新知，還融入電玩。

(12) 這次的展覽是採互動式的比之前聽過一些口頭敘述吸菸的嚴重性效果好多了，希望以後各種的活動可以採此種方法。

3. 驚訝

(1) 用科技來宣導讓我感覺很新鮮、驚奇。

(2) 以多媒體遊戲認識菸害防制，真是太酷了！

(3) 我覺得很驚奇，跳脫印象中大人勸導碎碎念的印象，這個方法呈現的很棒。

(4) 主題具娛樂性、新奇，貼切青少年。

(5) 很新奇！『十年後的我』和『豬肺幫浦』都是第一次看到。

(6) 用感應翻書很酷！10 年後的我可以知道抽菸的後果，實在很恐怖。

(7) 一根菸的破壞力的確很快，慢慢的累積，至晚年或中年後會帶來嚴重的疾病，以致死亡。『菸』，可以讓人快樂，也會讓人的生命更接近盡頭的。

(8) 吸菸所造成的遺憾難以彌補，珍惜生命就不該去碰觸會傷害自己的物品。

(9) 原來吸 2 手菸會得肺癌的機率那麼高，抽菸不僅對肺有影響，也對心臟、支氣管、十二指腸、胃，嚴重的話才有可能造成不孕。假如別人一看你一開口就一口黃牙和聞到一股臭味，有可能對你的第一印象大打折扣。

(10) 很驚訝，增加了對吸菸的認識。讓我知道也懂得很多吸菸的後果，吸菸是不好的，吸菸只會讓人降低免疫力以及讓人降低思考能力。

(11) 讓我了解到一個小小的菸，竟然能使完整的肺就此損壞，真的要遠離它。

從開放式問卷題項（11~13 題）所整理之參觀學生心得與感想，發現在表現正向情緒的形容詞除基本情緒愉快、

興趣、驚訝外，還出現了其他新世代的形容詞語彙，包括：欣喜的、喜悅的、Funny 等。（詳見表十四整理）

（二）負向情緒

1.恐懼

(1) 吸菸對身體是有壞處，吸菸吸太多不僅會得到口腔癌、肺癌……等疾病，而且還會危害身邊的人。

(2) 第一次這麼驚恐，抽菸的人肺黑的跟麥克喬丹一樣黑。

(3) 覺得很可怕，幸好自己沒吸過菸，也沒上癮，上了一堂很棒的課。

(4) 很寫實，也很血腥。讓人一點都不想抽菸，更不想當二手菸的受害者。Touch my heart ！

(5) 哇~真恐怖！！「豬肺幫浦」好可怕！原來吸了菸會變這樣，真是震撼教育！

(6) 我覺得吸菸者的肺黑黑的很恐怖，而且吸菸會降低心肺功能。

(7) 雖然不是人肺，但是那豬肺還是很嚇人，整顆「黑嚕嚕」的……Oh, My God ！

(8) 有吸菸的肺很黑很恐怖，而且比正常人的身體健康還不好，真的覺得有吸菸非常傷害健康和浪費金錢。

(9) 看到豬肺我就不敢抽菸了！一天一包菸，半年、一年和五年的花費，應該很快就會破產了！

(10) 看到影片真實案例，口腔癌女孩、喉癌奶奶，更了解拒菸、反菸的重要性！

(11)『十年後的我』很像在拍大頭貼，會讓人印象深刻，抽菸後頭會禿、人會變老變醜，真恐怖！

(12) 抽菸真恐怖，希望抽菸的人能隨著法律的實施減少。平常聽別人說抽菸就會得肺癌，光是用說我覺得沒有什麼說服力，到了現場一看到抽過菸的肺和沒抽過菸的肺，竟然會差這麼多，這樣的展覽有殺雞儆猴的功用。

　2.厭惡

(1) 覺得抽菸過的人，肺會整個黑掉，很噁心。也不會想去抽菸了！

(2) 那個豬肺好噁心…真是 Orz ！！

(3) 我不敢吃豬的內臟了！！（好噁心）。更認識菸害，還有關於菸的法律規定。

(4) 吸菸真的對身體不好，一個完整的肺會因此而爛掉。

(5) 抽菸的人的肺變得很黑，跟臭水溝一樣。

(6) 抽菸讓人變醜陋，嘴巴好噁心！

(7) 抽菸對人實在太不好了！如果有看到人在抽菸絕對會 K 死他！

(8) 讓我更了解抽完菸不僅容貌會更老更憔悴，健康的身體也會因此遠離而且得口腔癌機率提高，我更討厭菸了。

(9) 影片內容寫實，雖然看起來有些血腥可怕，但是將吸菸後的負面影響呈現得很清楚，更能讓我了解吸菸後會如何影響身體的健康狀況。

(10) 因為我本來就討厭菸味，希望癮君子們看見這些展

覽能夠戒菸，除了我以不會吸到二手菸之外，對地球貢獻也良多。

(11) 勸身邊的人提早戒菸，能有更美好的人生，自己看過展覽中那些抽菸過後的肺，自己一定不可能會抽菸，才不要有一個黑黑髒髒的肺臟。

3. 悲傷

(1) 我要回家叫有抽菸的人全部給我戒掉，在我面前不准抽，我看一支丟一支絕對要嚇吸菸的人，可能跟他們講吸菸的下場，有多不好就有多不好！吸菸的人最傻，吸菸等於慢性自殺。

(2) 恩，還是不要抽菸的好！抽菸對身體健康毫無幫助，又會因而傷害自己肺功能，臉型變形、眼皮沉重、牙齒黃等…不好的情況發生。

(3) 吸菸對健康真的有很大的危害，不管是對自己或周圍的人，為了維持健康，要向菸品 say "NO"！！

(4) 抽菸真的真的對人的身體很不好…看到抽菸會使肺、牙齒、口臭等器官產生一些問題。吸二手菸的更慘，比抽菸的更糟糕。

(5) 覺得吸菸是很不好的，很傷害身體，而且也影響到身邊的人！真的是害人又害己！所以能不抽就不抽，這樣才能有健康的身體啊！

(6) 吸菸會害人害己，生命證言影片真實人物「小頁」就是別人害到得鼻咽癌，所以不要抽菸，也勸別人不要抽菸。

(7) 小頁很可憐，因為別人的吸菸讓他得到鼻咽癌。明明不是他的錯，因為別人的快樂讓他承受這種痛苦。

(8) 飯後一根菸，快樂似神先，但到最後會死的很慘。

(9) 抽菸不僅害到自己，也拖累別人，因為二手菸所吸入的菸其有毒成分是一手菸的 3-5 倍，而自己不吸菸，但配偶吸菸的人得肺癌發病率是一般人的 1.2-1.5 倍，還是別抽比較好。

(10) 抽菸對身體不好，又會影響未來，一點都不好。看完生命證言，才知道戒菸很痛苦，但不會戒菸又會讓我們失去很多東西，人生、快樂這些都會失去！

(11) 我覺得吸菸真的不好，或許有人為了耍帥而抽菸，但卻不知不覺成了『消肺者』，呼吸新鮮空氣是一件很棒的事呢！

　　從開放式問卷題項（11~13 題）所整理之參觀學生心得與感想，發現在表現負向情緒的形容詞除基本情緒恐懼、厭惡、悲傷外，還出現了其他新世代的形容詞語彙，包括：害怕的、噁心的、沮喪的等。（詳見表十四整理）

圖 9&10 以恐懼訴求設計的展示單元「豬肺幫浦」以及「10 年後的我」，兩項單元引起受測者相當多的感想，呈現在開放式問題項上。

伍．結論與建議

綜合前述之調查結果，提出以下結論：

一、透過展示教育發現參觀的學生在菸害防制的認知都有顯著的改變，有助於對菸害防制的常識正確的觀念以及累積。

二、透過展示教育的方式，發現參觀前後同學不論對於「菸害防制新規定」或是「吸菸對身體呼吸器官的影響」方面，其前、後測比較皆有達顯著性之效果。

三、透過互動式體驗展示的方式，同學參觀展覽的情緒體驗包括正向情緒（愉快、興趣、驚訝）與負向情緒（恐懼、厭惡、悲傷），參見表十四。

表十四　區別性情緒項目

基本情緒		形容詞項目				
正向情緒	愉快	欣喜的	快樂的	喜悅的	活潑的	Funny
	興趣	留意的	專注的	警覺的	多元化的	互動式的
	驚訝	驚訝的	新奇的	太酷的	遺憾的	震驚的
負向情緒	恐懼	驚恐的	害怕的	畏懼的	殺雞儆猴的	Oh, my god
	厭惡	憎厭的	厭惡的	反感的	噁心的	Orz
	悲傷	激動的	憤怒的	悲慘的	沮喪的	後悔的

資料來源：本研究整理

四、在觀念改變的題項上發現，各地區學生均對看展覽前、後對菸害防制常識觀念上無顯著差異性，顯示要透過一次的菸害防制展覽就要改變同學原本既有的觀念，不論是本來就不吸菸或者馬上就戒菸是不容易的，因此更驗證了菸害防制的教育活動需要長時期經營以及推廣，才容易發生潛移默化的效果。

綜合本調查所獲得的經驗，提出以下建議：

一、教育面

1. 本調查發現以互動體驗式的展示方式進行校園內的菸害防制教育學生反應佳，而且還出現不少小團體討論的情形，尤其是「豬肺幫浦」所提供的教育意涵，參觀學生反應熱烈，討論最多，建議這樣以展覽方式包裝政策宣導的菸害防制教育活動要加以推廣，讓學生接觸除了教官政令宣導以外的教育方式，以強化高中職學生拒菸、戒菸的行為養成。

2. 預防重於治療，加強學校的菸害防制教育，向下落實紮根，建議可在國小中年級階段即開始實施，以雙向溝通之策略，規劃適合不同階段學生可學習的菸害防制課程或者展示活動推廣計畫。

3. 訊息中欲激發參觀學生恐懼反應而陳述的威脅，除了必須是讓參觀學生感覺切身相關以及很重要，如果欲運用恐懼訴求進行健康宣導，必須考慮目標對象對〝恐懼〞的主觀詮釋。因此，本研究以恐懼式展示手法，目標族群可能不適用於國小低年級以下的學生參觀，較適合國中年級以上的族群。

二、研究面

1. 本調查基於巡迴地點的考量限制，被限制在某一些特定的學校，同時不同縣市所挑選的學校在學生程度上也有不同，研究結果或許僅能推論至同性質的學校，故後續研究可作更妥善的安排，使研究更具類推性。

2. 本調查結果雖呈現正向的成效，但調查過程中仍有許多無法控制的干擾因素，例如：教官的領導風格、教學者的認真程度、學生作答的可信度等變項，建議將來可以更嚴謹的問卷設計加以驗證探討之。

3. 進行追蹤調查，透過參觀展覽 30-40 分鐘的參觀行程，參觀學生記住了某些知識性的問題及正確的答案，而這些「強記」的知識在短暫發生的效果，但是長期下來是否有融入學生的生活中，可進行更深入的追蹤探討，藉以驗證，以期透過博物館的展示真正紀錄下參觀民眾的學習成效或者經驗，作為菸害防制推廣的參考方針。

第四夢
守護台灣的眼睛
－福爾摩沙衛星特展

解夢密碼：大眼睛・科普展示・從熟悉的開始

I. 第一次做展示

守護台灣的眼睛 - 福爾摩沙衛星特展，是轉換跑道來到展示組後，第一個自己規劃設計製作的展示。第一檔展示，對於非科班出身的我，其實，懵懵懂懂，因此選擇從熟悉角度切入，以解說員的角度思考——今天如果讓我導覽衛星展，我會怎麼講解，讓一般大眾可以聽得懂，因此我把衛星擬人化——創造「大眼睛」這個角色，來說這個展示的故事。

守護台灣的眼睛 - 福爾摩沙衛星特展

II. 從神話到實踐：談守護台灣的眼睛～福爾摩沙衛星特展的規劃與設計

⊙ 緣起

2003 年 9 月我有機會從一位導覽解說員轉而前往展示組學習展覽的規劃設計，當時，因為責任分工的關係，我擔任了「航空與太空」（以下簡稱航太廳）展示廳的廳長，這個展示廳對我而言其實並不陌生，因為在擔任解說員期間時常帶著團體前往該廳，其同時也是本館較受歡迎的展示廳之一。不過這個展示廳一直以來總讓人覺得大氣內的飛行器介紹的比較多，而大氣外也就是「太空」的部分介紹的比較少。於是，當我知道本館於國內專責職掌「太空」業務的「國家太空計畫室」曾簽署合作備忘錄，我心想，藉由其專業應該可以有更多元的合作，強化展示廳的不足。

2004 年 5 月 21 日，「福爾摩沙衛星二號」順利升空，這是繼 1999 年元月 27 日「福爾摩沙衛星一號」成功發射後，又一完美的表現，這更代表的是我國未來的太空科學研究與技術將走向完全自主。有了兩顆衛星圓滿的升空，使得我開始思考是否可以辦一個關於「我國太空發展」的成果展或是「我國衛星發展」的特展，同時也藉此機會與國家太空計畫室緊密合作，更可以適時更新航太廳補齊不足之處，初步的構想在陳代理館長訓祥以及展示組吳主任佩修的協助及推動之下，在 2004 年的 10 館裡便正式決定籌畫一個這樣主題的展覽，值得欣慰的是航太廳原先就成立了跨組室的任務小組，包括：設計、維修、教育活動、導覽解說以及公關行銷隨時進行該廳的展示更新，因此，在本館專業人員的相助之下再配合國家太空計畫室相關研究人員，很快就建立起合作的雛型。

⊙該展什麼？

其實，「太空」對學文學的我而言，是陌生的，它是我所熟悉的名著小王子的家鄉，它是嫦娥奔月後，事後悔恨偷靈藥的居所，也是唐明皇陶醉到樂而忘返的地方，對我而言它是個「神話」，要「實踐」成為一個展覽，著時費了好大的功夫。首先，策展小組必須鎖定這個展覽要展現什麼？要讓觀眾瞭解什麼？因為國家太空計畫室從 1991 年成立到現在，它所進行的研究工作何其多，範圍相當廣，如果樣樣都要呈現，在 300 坪的展覽空間上，是無法面面俱到的。

因此，策展小組最後決定就以「福爾摩沙衛星」為主題，展現台灣這幾年在衛星科技發展上的成就與驕傲，展覽名稱訂為「守護台灣的眼睛~福爾摩沙衛星特展」，期望透過展示教育功能，建立台灣主體意識，強化民眾對本土的認同及關懷，適時呼應政府強調深化認識台灣的教育主軸。確立了方向，我便著手向國家太空計畫室提出相關商借的物件表、歷史文件、重要檔案等進行展覽的規劃及說明文的撰寫。

展現臺灣太空科技研究成果的衛星展

⊙ 展覽理念

守護台灣的眼睛~福爾摩沙衛星特展以「腳踏美麗大地，眼望遼闊穹蒼」為設計理念，創造太空城市，未來世界的情境。以一個學文學人的角度而言，以這樣的「場景」入題，會讓一個內容「艱澀」的展覽感到平易近人得多。展覽現場讓民眾重回衛星發射場景，重現衛星測試情形，瞭解衛星構造及升空過程，並利用衛星影像照片有系統地介紹福爾摩沙衛星一號、二號、三號研究成果及貢獻，讓常民生活融入衛星科技。然而，因為衛星科技的內容太過於專業、艱深且不易懂，有些內容又牽涉國家機密或一些政治因素考量，不太適宜展出，因此如何拿捏的深入淺出，規劃出適合社會大眾易於瞭解的展覽內容，是策劃本特展最大的挑戰。在展示規劃的期間，個人有一些思考及經驗供參考

（一）創造「大眼睛」來說故事

艱澀的內容，要如何讓一般大眾都看得懂？於是在大家集思廣益之下，我們設計了一個「大眼睛」的角色來說衛星的故事，以一個可愛的衛星寶寶來串連整個展覽。我想，大多數的人都喜歡聽故事，也喜歡在故事當中找到他理解的道理。例如：要介紹福爾摩沙衛星二號的高空大氣閃電觀測科學任務，我們就讓大眼睛先這樣說故事……

「天黑黑，要落雨」在盛夏的午後，台灣常常下起午後雷陣雨；或許在你的心中也曾浮現過這樣的問題：「雷雨雲的下端會對地面產生閃電，那麼雲層的上端會不會有什麼奇特的現象發生呢？」答案是：會的，會發出像鬼魅一樣難以捉摸的紅光，科學家稱之為「紅色精靈」。之後，我們再緊接著說明其特性、發生的原因以及衛星如何幫助研究，如此一來，讓展覽的說明文更口語、更貼近民眾，

不會覺得那些原理是深不可測。

（二）緊扣常民生活

　　大多數的人都會認為「衛星」和我的生活究竟有何關係？好像很遙不可及，福衛一號、福衛二號的升空不過是高科技的展現而已，而且他們遠在那「天邊」，但卻不知道其實他們已經近在你我眼前，經常是生活當中不可或缺的小幫手，因此，展覽當中特別強調衛星與常民生活的關係，設計「福衛高照我生活」的單元，讓民眾了解其實人類已經步入衛星新世紀，衛星與你的生活息息相關，密不可分。

（三）展示與教育合一

　　博物館的教育與展示工作原本就是一體的兩面，活潑多樣的科教活動、專業合宜的導覽解說，都是展示的延伸，也使得展覽更加相得益彰，同時可以強化展示的廣度與深度，因此，在規劃展覽之初就特別在展覽現場設置一間科教活動專用教室，定期推出太空探奇活動，鼓勵民眾在看完展示、聽完導覽後，主動參與科教活動，增強學習的效果。

「創造太空城市，未來世界的情境」- 福爾摩沙衛星特展

⊙ 結語

　　大家常關心製作一顆衛星到底花費多少錢？發射費用多少錢？但是大家時常忽略了，在倒數計時喊「Formosat1，Go!Go!Go!」的時候，你看到的除了是可以量化的「有形金錢」外，其實背後更是隱藏著一筆無法計算的「無形資產」，包含無數研究人員的精神、心血與時間，「守護台灣的眼睛～福爾摩沙衛星特展」展覽現場期待您和我們一同來感受與感動！

第五夢
童心玩趣
－福爾摩沙玩具特展

解夢密碼：讓玩具動起來．玩具達人．玩具產業

I. 讓玩具動起來

　　童心玩趣 - 福爾摩沙玩具特展 - 從台灣玩具產業的角度，來介紹玩具中的科學，玩具就是要玩，從玩中學科學。玩具展以讓玩具動起來，來設計整個展示，除了玩具達人的玩具收藏品外，展場還設計了大型的益智玩具，目的就是，要所有大朋友小朋友動手玩，動手做，就對了!!「告訴我，我會忘記；展示給我看，或許我會記得；讓我參與，則我會了解。」（Tell me and I will forget,show me and I may remember,invole me and I will understand），這都是在說明透過〝聽〞與〝看〞的學習是有限的，唯有〝做〞（do）才能達成學習的深刻領會。

童心玩趣 - 福爾摩沙玩具特展

II. 純真 ‧ 快樂 ‧ 夢~談「童心玩趣~福爾摩沙玩具」特展籌備始末

⊙ 遇見玩具

猶記得 2004 年的秋天，本館因為要籌備一個全新的展示廳『台灣工業史蹟館』，而規劃想在這個展廳當中的某一個區域介紹台灣玩具產業的發展，見證台灣曾是玩具王國的歷程，就這樣，筆者與玩具相遇，開始了蒐集與玩具這個主題相關的所有文獻。

很可惜的是，這樣的主題並沒有一本書或者一個人可以全盤地了解，筆者搜羅資料的範圍、諮詢對象的廣度，從學界到業界、從國內博物館到海外文物館，幾翻轉折，甚至想要放棄，直到遇見玩具收藏家江文敬先生，他對玩具的熱忱，讓筆者興起『一定要把這些優質的玩具搬到科工館，重新規劃展出』的念頭。於是這個主題從原本只是工博館展廳當中的一部分，發展成為一個臨時特展，從 2005 年開始，筆者遇見玩具，和它結下了不解之緣。

⊙ 著手規劃

身為策展人的筆者，在細讀與整理過台灣玩具產業發展的歷程與親自看過江館長的收藏後，有鑑於館長的文物雖然從春秋戰國到 21 世紀都有，但是比較值得展出的經典年代，落在 1960-2007 將近半個世紀，因此，決定將展示設定在 50 年來曾在台灣出現過的玩具，它們與台灣的文化、藝術、工業、經濟、社會教育發展的相互關係，再將這樣的「故事主軸」劃分為三個核心概念：即『科學角度』、『人文發展』以及『歷史脈絡』三方面來讓觀眾更容易了解與親近展示內容，探索台灣玩具的發展，呈現它在過去、現在、未來不同的風貌，而江館長所收藏的文物就作為見

證半個世紀以來台灣玩具史的物證。

　　近幾年來台灣吹起一陣復古風，因此以玩具為主題的展覽，搭配懷舊、古早味，營造 1950 年代氛圍的展示，這幾年在島內各地均有展出，工博館要如何呈現出與別的地方展出的不同性？考驗著策展的功力。筆者認為將文物作線性狀態的陳列實在難以彰顯科學博物館的本質，所以在展示規劃上要強調玩具的科學技術與創意，因此將玩具的動力來源，從人力、自然力、材料彈力、發條、電力的運用，作系統性的呈現，甚至於結構的解析，將玩具材料的發展，從泥巴到木頭，從馬口鐵到合金，作完整性的展出，再則，因工博館兼負記錄及保存我國產業及科技發展之歷史，所以台灣玩具產業的發展史，更是展覽當中必須呈現的一項重要元素。

　　決定了展示核心，找出了展出的特色，接下了就要將手邊的資料閱讀、消化、萃取、與組織，展示的內容開始逐漸成形，一個個的展示單元越來越清晰，筆者以編年史搭配主題式的方式將展示劃分為 8 個單元。台灣玩具產業的發展的過去，現在和未來以切片方式作處理，而歷史部份的處理，除了文字資料的呈現外，更令人欣慰的是，筆者找到了 1960 年代由台灣電視公司拍攝的幾段珍貴的紀錄影片，重現當時台灣玩具王國的雄厚實力。而玩具物件的部分，除了動力、材料單元之外，更規劃了一個主題區，以武器玩具、人氣偶像到科技電子玩具作介紹，更重要的是，在設計上讓玩具「動」起來，除了動手操作區、科學教室 DIY 玩具外，筆者更讓鎖在櫃子中的玩具，得以適時地「被打開」展示他們不同的性能與設計上的創意，讓玩具不只是用看的。

⊙挑選文物

確定了展示的核心價值，接下來便要處理江館長文物的部分。而玩具文物的挑選與清點，對筆者而言是一件相當繁雜且費時費工的事情。其實江館長的收藏相當豐富，40 年來的收集，涵蓋了 1960 年的台灣民俗童玩，竹水槍、彈珠台、竹蟬、竹弓箭、線輪車、草編蟋蟀、瓶蓋彈響、銅管仔車，到尪仔仙、升官圖，從木製玩偶、第一代無敵鐵金剛、大同寶寶、火柴盒小汽車到一系列馬口鐵製成的老玩具，從發條式機器人到當代流行的機械暴龍，近仟件以上的玩具，要如何篩選出值得展出的，已經是一個問題了，更棘手的是，江館長並沒有所謂的物件清單，所收集的玩具也沒有做基本資料的登載，所有的資訊都在他的腦子裡，因此，困難來了，筆者必須與江館長共同來完成這項艱鉅的任務，替這些玩具做『身家調查』，並依據展示規劃書的內容挑選出一仟件值得見證這半個世紀以來台灣玩具歷史的物證。

為了替這些玩具製作完整的身分證，已經記不得花了多少時間在南北往返的路程，用盡了多少心力在整理的過程上。筆者在 50 坪大的玩具博物館當中，重複著打開櫃子、拍照、量度、記錄這些動作，算一算應該超過了 1000 次以上。挑選文物著實費神，筆者初初有些低估了這些『小玩

不同材質的玩具展出 - 童心玩趣 - 福爾摩沙玩具特展

意』帶來的『大困難』。當所有的玩具身分資料都登錄齊備的那一天，筆者真得高興地像小孩般地手足舞蹈，接下來，按照不同的展區，不同的單元，再逐步地分類，找出每個玩具對應的歷史年代以及科學原理，從發散到收斂，這份厚達一佰頁的物件清單，不但見證了玩具在台灣半世紀以來的轉變，也驗證了文物登錄工作的重要性。

⊙落實展示

『每一個玩具都是一把記憶的鑰匙，訴說著每個人對過往的回憶，相信在你的生活當中應該都有某一個玩具令你印象深刻，午夜夢迴時總能勾起你一絲絲的往日情懷……』，靠近第二臨展廳的入口，一面塗鴉的紅磚牆上，就寫著這段文字，先讓大家把思緒都回溯到孩童時期，誘發出你內心深處的赤子之心，再讓搖著木馬拿著風車笑得燦爛的公仔--「童童」帶著大家一同穿越時空，探索曾在台灣這塊土地上出現過的玩具。

一進入展場，映入眼簾的是一個古今對照的展示手法，民國 50 年代的柑仔店（傳統玩具）對照民國 80 年代小孩的臥室（現代玩具），這兩個年代裡的人們，玩些什麼，哪些玩具是最流行的，走下斜坡道，右手邊是工博館向 100 個 10 歲小朋友募集而來的玩具，看一看他們與最愛的玩具所發生的故事。玩具當然是要會動的，才有趣味，才讓人愛不釋手，要怎樣才能讓玩具動起來？用手、用水，用火？還是用電？

繼續往前走，在『打開玩具箱』的展區裡，一起來瞧瞧玩具的神秘魔法。什麼是玩具？是給小孩玩的？但是在現今的社會中「玩」玩具的大人也不少喔！假使遊戲是小孩的工作，那麼玩具就是小孩的工具，為什麼小孩如此迷戀玩具？而玩具和人類的關係到底多密切？是從距今 6000 至

1 萬年前的新石器時代就開始了嗎？轉個彎，台灣玩具產業的萌芽與發展由此開始，玩具王國的美譽在胼手胝足的年代裡有多少不為人知的動人故事，等你發掘，1960 年代到 1990 年代當時最暢銷流行的玩具是什麼？

穿過萬花筒走廊，絢麗繽紛的色彩，搭配童心童趣的手繪插畫，似乎預告著更多好玩，更精采的展示內容正等著你。來到『玩具思想起~懷舊區』迎接你的是流行於春秋戰時期士大夫飲宴時所玩的投擲遊戲-「投壺」，古代的人都玩些什麼？他們如何打發休閒的時間？玩具一方面顯示了各民族為豐富下一代成長經驗所作出的努力，另一方面也隱藏著各文化蘊育的智慧，而玩具所蘊藏的智慧絕不僅是「奇巧淫技，婦孺之戲，士大夫不為也」的小道，像陀螺、竹蜻蜓、毽子等等在你我童年時光中時常玩的童玩，都有著無窮的創意與智慧，這些古早味的童玩你會玩幾種？還記得多少？在這裡讓你動手又動腦。玩具剛開始出現的時候，泥土、石頭都可以是玩具，竹子、樹木也可以就地取材，直到 18 世紀工業革命的發生，製作玩具的流程以及材料有了巨大的轉變，『玩具大觀園~材料篇』讓你了解材料科學發展以及工業革命的誕生對玩具的影響，一系列的馬口鐵玩具，保證讓你看得目瞪口呆。

穿過 10 呎長的龍頭風箏，1970 年代第一代的無敵鐵金鋼大戰 2006 年的史賓機器人，猴塞雷；1969 年編號 51 號的大同寶寶挑戰 2002 年 Toy2R Qee 公仔，比人氣；1933 年的紙盒大富翁對上 2007 年電子版的地產大亨，超精采；西元前 500 年前的竹蜻蜓力拼 2006 年的遙控蜻蜓，誰勝出，精采的『玩具同樂會』等著你的加入。玩具產業真的已經是夕陽產業？一起再看見『玩具產業的藍天』，台灣這幾年的玩具產業發展以生產高附加價值的產品為主，投入專業人員進行研發與設計，這幾年許多最具指標的電

子熱門玩具，都擁有台灣的 IC 基因，例如：電子狗、史賓機器人等。在接近出口處，是以『跳格子』的方式讓大家帶著滿心的雀躍離開，在結束參觀這個展示的同時，提醒你在玩玩具的同時，也要有安全意識，選擇安全的玩具，才能夠玩得放心。希望藉由這樣的展示設計讓更多參觀民眾瞭解小玩具也能見證大時代。

童心玩趣
- 福爾摩沙玩具特展

⊙ 意外插曲

在規劃設計此次特展時，筆者遇上了一段『意外的插曲』，那就是配合到一個完全沒有博物館展示經驗的設計公司，他們不是很了解要如何建立起一個有品質具專業的展示。筆者與該公司歷經了將近三個月的細部設計與討論，設計圖足足送了五次才臻完善，會議開了大概超過了 15 次以上，平均一星期就要開一次會。

過程當中筆者必須帶著他們一步步去建構整個展示，從說明文字、物件清單當中，去分析與拆解每一區每一區需要的面積、呈現手法，展板風格、互動單元、櫃子的型式，甚至親自手繪每個分區的圖樣，再交由他們落實。這三個月將近 100 多個日子，筆者所承受之壓力真是筆墨難以形

容的，幾次午夜夢迴，總會這樣想：或許小小挫折，就當是激勵，或許這是一個障礙，是一段意外的插曲，但越過障礙也許就是另一個成長，插曲的發生或許能譜出更動聽的樂章。

⊙ 愛上玩具

玩具，坦白說，在筆者的童年時光並不是很重要，也許是當時填鴨式的教育，根本沒有多餘的時間好好地玩玩具，也沒有太多印象深刻的玩具，但是因為這個展覽，筆者遇上了玩具，在長達 1 年半的規劃當中，時常與玩具為伍，和玩具對話，或許日久生情，逐漸地愛上玩具，誠如江館長所言，其實『玩具是有生命的，不過時代轉變賦予不同玩法，而玩具轉變也見證了歷史』。對筆者而言從不懂玩具、遇上玩具到愛上玩具，玩具相對地也豐富了我的人生，帶給我心靈深處一些悸動與記憶。

『童心玩趣－福爾摩沙玩具特展』得以順利的展出，感謝有緣結識江文敬館長，沒有他豐富的收藏，這個展覽無法成形，同時也感謝所有組室同仁的全力支持，讓宣傳行銷活動、科學教育活動、生動活潑的導覽解說得以順利推動，一個展覽的成功需要的是一個「團隊」的努力，而不是單靠一個人或廠商，每一個環節都必須緊密結合，環環相扣，才有辦法完成展覽贏得喝采獲得掌聲，締造佳績。

童心玩趣－福爾摩沙玩具特展

第六夢
翻滾吧！貓熊特展

解夢密碼：跟上流行 ‧ 善用展示空間 ‧FUN

I. 不問「藍綠」‧只要「黑白」

　　博物館展示不僅在展示手法上要跟上流行，其實在主題的選擇上也常因應時代潮流，規劃一些符合民眾需求的展示，而這類型的展示，通常都很「趕」，因為不快點製作出來，就會退流行了，貓熊展 - 就是這樣的作品，2009年當時團團圓圓來到臺灣，為了讓南部觀眾不必北上搶看，因此和台北市立動物園共同合作了這個展示，透過網路連線直播牠們生活的影像。團團圓圓可以算是當時最受矚目的「網紅」，翻滾吧！貓熊特展 - 在這樣的時空背景下，被

催生出來。在策展的概念上很直觀的以「FUN」這個字來延伸，有趣、詼諧、幽默、輕鬆是這個展覽的元素，同時，善用科工館地下一樓廣場的空間，設計一個俯視角度的大貓熊，就是一個FUN 展示，黑白是展示的 Dress code。

俯視角度的大熊貓『翻滾吧!! 貓熊』特展

II. Panda Long Stay -『翻滾吧!! 貓熊』特展

　　牠，每天看起來都睡眠不足，牠，生平最大的心願就是，拍一張彩色照片，牠的樣子讓小朋友從心底發笑，牠的造型讓年輕人都說 Cool，牠的粉絲跨足老中青三代，牠就是一大貓熊。

　　模樣可愛的貓熊，是地球上珍貴物種之一，牠們的珍貴不僅在於數量稀少，繁殖不易，被中國大陸列為國寶，也因為貓熊對於生存與棲息環境的要求很高，對貓熊的保育工作所做的努力及成果，可視為人類落實保護地球環境，追求永續發展的重要指標之一。這一次大貓熊來到台灣 Long Stay，已經掀起觀賞的熱潮，有鑑於此，科工館為服務廣大的南部民眾，特別邀請臺北市立動物園共同跨界合作，辦理此次的「翻滾吧!! 貓熊」特展，期望藉由多元的展示方式，突破時間與空間的限制，讓南部的民眾也有機會可以目睹國寶級動物的風采。

貓熊爬樹展品 -「翻滾吧!! 貓熊」特展

「翻滾吧!!貓熊」特展在展覽內容上結合了空間主題情境、視覺媒體科技、裝置應用及參與式的體驗方式，透過這些新的科技媒材，將大貓熊這個耳熟能詳的主題重新的詮釋與萃取。利用空間的特性來設計情境氛圍，讓參觀民眾不論從那一個角度欣賞展覽，都可以看到大貓熊張大嘴吃竹子的逗趣模樣；在互動多媒體的整合應用上，引進擴增實境的展示手法，讓你親自體驗餵食胖達的感覺，同時，利用視訊連結，傳送遠在臺北市立動物園團團圓圓的最新生活狀況，更重要的是你還可以零距離地和大貓熊拍一張彩色照片喔！

利用 AR 擴增實境模擬餵食貓熊 -「翻滾吧!!貓熊」特展

　　整個展覽分為 11 個區域，跟隨著大貓熊特別的 6 指前掌，讓我們一同穿越竹林深處，揭開大貓熊的前世今生，貓熊從何時開始出現？到底如何稱呼才是正確？你知道大貓熊有什麼 特殊的看家本領、與眾不同的生活習性以及獨特的飲食

等比例的團團圓圓 --「翻滾吧!!貓熊」特展

習慣嗎？在此還特別介紹臺北市立動物園如何集結專業精英打造適合的環境供大貓熊居住，藉由牠們的到來更深化臺灣在珍稀動物的保育及復育的努力，除了這些屬於大貓熊的熱門常識外，展覽當中也透漏了一些牠們不為人知的KUSO冷知識，您千萬不要錯過。

1. 貓熊吃竹子：利用空間的特性來設計展示的情境氛圍，讓參觀民眾從任何一個角度欣賞展覽，都可以看到大貓熊張大嘴吃竹子的逗趣模樣，很殺，特別的視覺空間設計，肯定引爆網路話題。

2. 貓熊爬樹：大貓熊最大的本領除了吃和睡之外，其實牠們也善於爬樹與翻滾，來瞧瞧工博館的大貓熊如何爬到2個樓層這麼高!!

3.Hello!Panda：引進擴增實境的展示手法，營造出虛擬的貓熊館，讓你在虛與實的空間中，與胖達面對面，讓你親自體驗餵食貓熊的感覺，了解圈養的貓熊飲食習慣與生活習性。

4. 我是團圓：你可以靠近一點，再靠近一點，前面沒有玻璃惟幕喔！等比例的團團圓圓在這裡與你零距離接觸，最重要的是，別忘了和牠們拍一張彩色照片，幫助胖達完成最大的心願。

5. 沒有距離 因為團圓：團團圓圓平常都在做些什麼？動物園的工作人員平常如何照顧牠們，精采的生活點滴以及成長過程在此播放！讓你在第一時間掌握最新的貓熊資訊。

第七夢
訴心相印 - 印刷文物特展

解夢密碼 : T-E-A・一本書的旅程・藏品

I. 十年磨一劍

　　訴心相印 - 印刷文物特展 - 以一本書的旅程來發想整個展示的故事，也是筆者來到展示組的十年代表作品·因此，特別選擇科工館蒐藏品來規劃展示，而展示的核心概念：即「T・E・A」，分別為「Technology- 科技」：探索印刷技術的科學與科技、「Entertainment- 娛樂」：動手體驗做一本書的過程、「Art- 藝術」：欣賞不同印刷技藝所呈現的印品風采，透過這三方面來讓觀眾更容易了解與親近展示內容。

訴心相印 - 印刷文
物特展

II. 一本書的旅程 - 談「印刷文物特展」的籌展緣起

⊙ 本館與文物結緣

　　1930 年代創業的普文活字鑄字廠，因電腦的普及和印刷科技的變遷影響下，面臨歇業；第二代掌門人陳嘉忠先生捐贈鑄字機的動機，敲開了本館印刷文物蒐藏的大門……因為這樣的緣由，1998 年起，本館有鑒於印刷技術發展在臺灣本土環境裡，正面臨了重大的轉型，為具體呈現印刷科技在臺灣的發展歷史，開始以印刷科技為主題的文物蒐藏計畫。

　　十餘年來，本館同仁上山下海，採集與探訪，搬運與整飭，每一件被本館典藏的文物，除了聞得到油墨留下的味道，隱約也看得到同仁徵集過程中走過的軌跡，每每看到一臺臺印刷機被成功搶救，一間間印刷廠雖面臨歇業，但曾經存在的歷史，卻得以妥善地被紀錄，那份心中的悸動，是筆墨難以形容的。

　　歷經多年努力，本館在印刷主題上的的蒐藏與研究已有相當的基礎，不敢說十年有成，但確用「心」持續關注這個這個產業，200 多件的印刷文物，件件都標誌著人類文明發展的印記，也都存在著回顧與前瞻的多元價值，十年熟成，也是時候將本館豐富的典藏以及對此議題的研究能量做一次全面的展現。

⊙ 筆者與該展相識

　　2008 年透過參與研究計畫的機會，打開了筆者心中這本名為「印刷」書冊的第一頁，和印刷文物有了第一類的接觸，從混亂、不懂、懵懂到有些了解，不敢說每件文物都很清楚地被標示在這本「印刷」書冊中，但卻在每頁、

每章上都塗上記號，潦草地寫下隻字片語，時時提醒著筆著：「未完，待續」。5年過去了，這本書終於可以翻到下一頁了。

　　正因為本館在印刷議題上的研究相當地浩瀚，包括：委託研究、物件詮釋資料、文獻、期刊、雜誌、學術論文等，光是詳讀就要花上一段漫長的時間，還要更進一步擷取出展覽所需要的部分，慢慢地將手邊的資料閱讀、消化、萃取、與組織，當內容開始變得清晰，筆著振筆疾書，在書冊上一字字地寫下屬於這批文物的印刷故事。

　　這本書，不敢說會成為今年年度最受歡迎的暢銷書，但絕對是一本充滿愛與夢想的書籍，將本館15年來投入此項議題的專業研究能量做整理及展現，等了15年，終於換「你們」上場了，印刷文物特展終於正式出場亮相，It's Your Show Time.

⊙一本書的旅程

　　身為策展人的筆者，在細讀與整理過本館的研究與蒐藏後，決定以「一本書的旅程」，來包裝整個展示故事。打開一本書，您會發現書上有什麼呢？有字、有圖，仔細再看，是不是會看出編輯者如何排版這些字與圖，讓書變得容易閱讀，同時兼具美觀，最後送到印刷廠印製，然後再裝訂，這就是您打開的這本書，所看到的它豐富的旅程，所以這次的展示，正是要訴說這本書的「故事」，從字、圖、到版、最後印、裝，其所蘊含的科學與科技。

　　確定了展示故事，再將這樣的「故事主軸」劃分為三個核心概念：即「T・E・A」，分別為「Technology-科技」：探索印刷技術的科學與科技、「Entertainment-娛樂」：動手體驗做一本書的過程、「Art-藝術」：欣賞不同印刷技

藝所呈現的印品風采，透過這三方面來讓觀眾更容易了解與親近展示內容，探索印刷產業的發展，呈現它在過去、現在、未來不同的風貌，而本館所收藏的文物就作為見證臺灣印刷工業發展與技術的最佳佐證。

決定了展示故事與概念，找出了展出的特色，接下了就要將展示內容開始組織，展示的內容開始逐漸成形，一個個的展示單元越來越清晰，筆者將展示劃分為 6 個展區。在歷史及印刷品的部分，除了文字資料的呈現外，筆者還商借到臺灣師範大學圖文傳播系吳祖銘教授、畫家陳景容先生及文史資料工作者郭雙富先生的精采收藏，為展示增添光彩，而在科學與技術的探究方面，則以本館的文物來說明及展現，更重要的是，展示當中設計了「印象手札」體驗活動，讓參觀民眾可以透過參觀本展覽，動手操作現場的小道具及印刷機，體驗製作一本書的過程，包括：蓋章、拓圖、撿字、排版、壓印與裝訂，親自手作（hand made）一本專屬自己的手冊，透過親身參與，真的認識「一本書」的「旅程」。

一本書的旅程 - 訢心相印 - 印刷文物特展

⊙字、圖、版、印、裝

～用真誠的「心」感受本館一步一腳印，蒐藏印刷文物的故事，

用「喜樂」的「心」與我們一同沉浸在文字與圖像「融和」的～

「訢（ㄒㄧㄣ）心相印～印刷文物展」

～這是印刷文物特展展示名稱的解釋。

一進入展場，映入眼簾的是一個大型曬書場，透過本館的典藏的文物，從「字」、「圖」、到「版」、最後「印」與「裝」，點出了這個展覽所要呈現的故事主軸～「一本書的旅程」，請您和我們一同復刻記憶，乘著時光的翅膀，回到那個沒有電腦的日子……撫摸紙上文字，還可以觸摸到鉛字排版淡淡的文字凹痕，那時印刷工廠中油墨味混雜著「七恰」的鑄字聲……歡迎來到印樂園一起復刻記憶，來段「一本書的旅程」，撫今追昔。

整個展示概分為 6 個區域，從「一本書的旅程」出發，開始「印象・結緣」，細數本館如何開始與印刷文物結緣，透過蒐藏與研究，耙梳出臺灣印刷產業的發展脈絡，來到「臺灣印象」以時間軸為故事線，介紹臺灣印刷產業的過去現在與未來。從荷蘭統治時期、明清時代、基督教會、日據時期到美援時期現代印刷術的傳入。而在清道光初年，臺灣第一個印書館～「松雲軒」的創辦，可視為雕版印刷技術在臺灣民間大量發展的里程碑，1951~1965 年，美國經濟援助臺灣，創造了重要的科技轉移機會，再加上 1968 年國民義務教育延長，教科書精編精印，更促使印刷市場的蓬勃發展。

穿過了曬書場，以不同製版方式印出的「字」、「圖」、

「版」、「印」、「裝」圖文，預告著來到了「技術印記」區，接下來的展示主軸將會是以技術主題的方式探討印刷技術的發展並以館藏物件介紹印刷基本工序。中國古代的使用的印章即為印刷的基本原理，經過時代更迭，隨著科技不斷的演進，印刷術也不斷的推陳出新，由凸、凹、平、孔等印刷方式演進到無版的數位印刷方式，從早期要刻字模、到鑄字、派人檢字、組版到現在完全電腦數位化的一貫作業逐一介紹。想了解「刻板印象」一詞，其實最早是一種新的印刷技術的命名，和我們現在所認知的是不一樣的？而早期作弊常說的「刻鋼板」是真的是用鐵筆在刻？「手民誤植」到底是怎麼一回事？您想過我們常用的標準鍵盤上的英文字母為什麼不按順序排列？透過本區的介紹，讓您有更進一步的了解。

印刷與我們生活息息相關，除了水、空氣無法印刷外，我們雙眼所及都脫離不了印刷品，想一想，您身邊有多少印刷品。來到「印藝良品」拋開艱澀難懂的印刷技術吧，大家來場「印刷品的狂想曲」！在本區將印刷成品分為憑證：印章、鈔票、郵票、獎券；傳播：報紙、雜誌；教育：童書、教科書；藝術：版畫；廣告：標語、海報以及其他：商品包裝等 6 類展出，透過實際成品的展出與介紹，讓民眾對於印刷技術有更深刻的體會。

印刷技藝歷經時間的流轉，有了多元的改變以及長足的進步，現在要傳播訊息已經不再依賴人工了，回顧過去、把握現在、展望未來，在「復刻記憶-印樂園」以及「心心相印」兩個展區，要讓民眾了解傳統印刷與電腦化印刷作業的不同。已經有人大膽預測，3D 列印技術的發展已帶起第三次工業革命，印刷媒體具有安定性、易讀性、保存性是做深度學習的好傳媒，同時因應雲端科技的發展，資料可以透過儲存，相信會讓該產業成為新「星」產業。

展現科工館印刷藏品　　　　　　　　　復原排版房
訴心相印 - 印刷文物特展　　　　　　　訴心相印 - 印刷文物特展

⊙闔上這本書

　　所謂印刷是以版為媒介，直接或間接的將文字、圖畫原稿迅速和大量的轉移至紙張和其他被印物上的一種平面複製技術，是一種綜合科學、技術與藝科的產物，而且在人類文明發展歷程中扮演著舉足輕重的角色，簡單說它的科學原理，就是利用油水分離來達到印製的效果，而它帶來的科技就是讓複製這件事情變得容易且快速，帶給人類生活上的便利。

　　20世紀電腦資訊的長足發展與結合，帶領印刷科技走過成熟期，邁向新世紀的轉型發展，文化、傳媒、商業、包裝、客製化的產品紛紛崛起，給了印刷產業相當好的加值空間。在您將闔上這本「書」的同時，是否仔細地想過，展出的這些文物它們背後所深藏的「故事」，是多少人的技術研發，才到今天數位化的一貫作業，或許，在現今一本書的製作旅程似乎簡單了，但，不可磨滅的是，這份簡單，蘊藏了多少前人的智慧結晶。

III. 藏品作為外界溝通橋樑～以國立科學工藝博物館「訴心相印~印刷文物」特展為例

壹．個案緣起與背景說明

國立科學工藝博物館（以下簡稱科工館）的蒐藏主要是以符合科學工藝蒐藏宗旨與目標之物件（如：實物、照片、幻燈片、圖片等）、工業遺址，並以各種物質形式保存的文獻、檔案與口述歷史資料為範圍。其蒐藏政策包括：探討科技基本原理及發展沿革、記錄科技對我國民生發展上的重大影響、反省科技發展歷程、表彰或實證我國科技發展上的重要成就、研究我國科技文化資產等五大需要。近年來，科工館的蒐藏不斷地累積，已提供相當多許多學者進行研究，同時也以不同的展示與科學教育活動彰顯蒐藏成果。「訴心相印~印刷文物」特展（以下簡稱本特展）所運用的藏品~印刷文物正是科工館重要的典藏品。

科工館印刷文物的蒐藏始於 1997 年，當時創立於 1930 年代的普文活字鑄字廠，因電腦的普及和印刷科技的變遷影響下，面臨歇業；第二代掌門人陳嘉忠先生捐贈鑄字機的動機，敲開了科工館印刷文物蒐藏的大門。有鑒於臺灣印刷技術發展正面臨了重大的轉變，為具體呈現印刷科技在臺灣的發展，開始以印刷科技為主題的文物蒐藏計畫，歷經多年努力，科工館在印刷主題上的的蒐藏與研究已有相當的基礎，231 件的印刷文物，件件都標誌著人類文明發展的印記，也都存在著回顧與前瞻的多元價值。本文以此特展為例，探討科工館如何利用藏品規劃特展，透過藏品行銷特展，建立與外界溝通的橋樑，讓民眾認識具有價值之物件進入博物館蒐藏系統之後，如何成為博物館的一部分，博物館如何轉化藏品價值意義，並向外傳遞，讓藏品成為博物館的宣傳大使，溝通的橋樑，藉此探討博

物館藏品價值的多元意義與運用。

貳. 文獻探討

　　博物館的藏品已成為博物館與外界溝通的重要橋樑與基礎。藏品的價值透過博物館向外延伸，由不同的主題特展、行銷觀點達到宣傳博物館的目的。本次個案正是利用藏品規劃為特展，利用這個以印刷文物為主題的藏品來規劃的特展，建立起科工館與民眾溝通的橋樑，行銷科工館，藉此讓民眾了解科工館具備的博物館專業及特色。因此在文獻探討的部分為三個軸線來探討，談特展的角色功能，蒐藏觀念的改變與行銷公關策略的運用，透過這些軸線來梳理內容做為本次個案分析與應用。

　　一、博物館的特展

　　展示類型根據場所可區分為戶外展示、室內展示與巡迴展示；根據展出期間可區分為永久展示或常設展示、特展或臨展。相對於常設展的特展，其主題內容上有別於常設展，且必須具備強化及延伸既有展示之功能，同時具有持續性吸引力，以達不斷吸引社會大眾進入博物館參觀之目的（吳淑華，2004）。

　　漢寶德（2000）在『展示規劃理論與實務』一書中，認為博物館展示是傳達訊息的重要媒介，其規劃之成效為博物館成敗之所繫，認為博物館的四大功能中，展示是最重要的。而專題特展具有生動活潑、吸引觀眾、快速傳達訊息的優點，能嘗試反傳統或多元的詮釋觀點，成為刺激博物館內省和進步的動力。特展可以刺激觀眾的想像力且具急迫感，因為展示只在某個地方展出，限制的時間，觀眾必須特別撥空參觀（Dr. sharron Dickman，2002）。特展更是博物館展示的化妝師。其豐富多元的主題及多變的展

示手法經常可為博物館帶來大量的參觀人潮，尤其特展主題可用來呈現與博物館任務與使命相關。

對於國內觀眾而言，長期不變的常設展覽，已經無法吸引他們的目光，反而是機動性的專題特展，才能創造民眾觀展人數的新紀錄，也才能成為館方展現業績功勳的數據（許峰旗，2001）。特展可以發揮常態展示所無法達到的優勢，因為其可以創造其行銷與話題性（黃抒繪，2008）。所以博物館通常在常設性展示主題之外，會另選定專題特展，以補常設展示的不足，也因為如此，特展的展示設計目標、理念與構想，更需適應時代脈動、考慮大眾需求，甚至要以行銷觀點出發，以期創造博物館營運績效的方向來構思特展的展示方式及主題。

二、博物館蒐藏觀念的改變

蒐藏一直是博物館的核心。博物館透過物件的蒐集、分類、排列及研究來滿足人類了解世界、展現真實世界縮影的渴望。這種相信物件本身可以提供我們理解世界門徑的信念，卻隨著時間的演進而逐漸動搖。博物館除了收集物件，也必須重視物件背後的文化脈絡，如何紀錄、如何詮釋這些資訊，以及如何再現文化，甚至如何以蒐藏服務社會大眾，都已成為博物館在現代社會應該思考的方向（Donahue，2004）。博物館所給予社會印象的是：蒐藏、展示、教育與研究的功能，大多數的觀眾利用博物館來提升自我，近幾年來博物館所提供的展示教育走向遠比它蒐藏目的注重，博物館將蒐藏藉由展示、導覽的方式提供觀眾教育上面的機能，並重新賦予博物館的社會價值（黃抒繪，2008）。

藏品是可以塑造一個博物館的特質與優勢，更是每座博物館展現其獨特地位的要素之一，重視蒐藏品的科學與

文化價值，更是不容忽視。利用博物館的藏品辦理特展，藉此行銷博物館的特色，這幾年在臺灣蔚為風潮，從新博物館學的觀點來看，博物館的首要任務不再只是關注於藏品之上，或者只是需要好好保存維護文物或藝術品，更重要的工作是博物館如何扮演與人（觀眾）溝通的角色（何慧怡，2012）。博物館不只是提供物件藏品的保存與展示，知識的傳遞更必須是雙向的，博物館正提供一個開放的思考空間，因此，藏品已成為博物館與外界溝通的重要橋樑與基礎。藏品的價值透過博物館向外延伸，與社會及人群互動，也在這樣的過程中得到創新價值的機會，並讓科學教育的資源與更多人分享，更可以藉由不同的主題特展、行銷觀點達到宣傳博物館的目的。

三、行銷公關策略的運用

臺灣博物館界對行銷觀念的引用，這幾年越來越重視，主要是因為世界各國的博物館面臨外在環境的改變，經費補助短少，休閒事業的競爭所不得不作的措施。在面臨激烈的競爭下博物館本身務必要更隨時代的脈動，才有機會與其他休閒娛樂事業、大眾媒體，甚至博物館做競爭，以爭取大眾的青睞，因此行銷公關的妥善運用或許可以為博物館指出一條可行的道路。（王嵩瑛，2001）。行銷公關是將行銷活動規劃為大眾生活的一部分，也就是讓事情成為媒體的興趣而且和消費者有切身相關的話題，如果成功的將商品銷售出去，除了滿足一般大眾的需求，則在他們心中對於我們好感就會增加，是一種看不見的公關，甚至影響到他們的親朋好友。爰此，本特展採用行銷公關的策略，來進行宣傳工作。

公關是指透過溝通、品牌建立和行銷產品以塑造形象、鼓勵購買和傳達訊息，而如何將商品或品牌呈現在大眾面

前，就要以行銷的觀點出發，公關只是幫助銷售的一個工具，若從公關的角度看行銷，行銷不過是幫助建立良好公關的方式之一。而行銷公關是指企業整合本身的資源，透過企劃力和創意性的活動、事件，並運用傳播策略，使之成為大眾關心的話題，因而吸引媒體的報導與消費者參與，有別於傳統的行銷老王賣瓜自賣自誇，「消費者請注意」的觀念，行銷公關是讓事件成為媒體有興趣，而且和消費者有切身相關的話題，一種「請注意消費者」的概念。

參.「訴心相印～印刷文物」特展個案說明

一、溝通橋樑 1：特展詮釋藏品

藏品社會價值的運用可以使大眾透過對於藏品的認識對於自身與社會產生認同感，這樣的認同感來自於參觀者與物件相互產生的連結關係，而藏品社會價值的傳遞可以透過教育、展示等功能，博物館的存在有助於大眾瞭解社會的本質，在今日的社會中，博物館更可以透過博物館功能的發揮，達到社群之間的互相瞭解（何慧怡，2012）。而展示正可以達到這樣的相互了解，因為「它」是博物館與外界最主要的溝通橋樑，也是博物館呈現專業的最佳平台，博物館的蒐藏也需藉由展示的詮釋與轉化才得以彰顯（吳佩修，2007）。

（一）展示核心理念

對大多數的人而言，印刷最直觀的印象就是「書」，因此身為策展人的筆者，在細讀與整理過科工館的研究與蒐藏後，決定以「一本書的旅程」，來包裝整個展示故事。打開一本書，會發現書上有什麼呢？有字、有圖，仔細再看，是不是會看出編輯者如何排版這些字與圖，讓書變得容易閱讀，同時兼具美觀，最後送到印刷廠印製，然後再

裝訂。所以這次的展示，正是透過書的「故事」，來呈現印刷技術所蘊含的科學與技術。

確定了以一本書作為展示故事線後，再將這樣的「故事主軸」劃分為三個核心概念：即「T‧E‧A」，分別為「Technology-科技」：探索印刷技術的科學與科技、「Entertainment-娛樂」：動手體驗做一本書的過程、「Art-藝術」：欣賞不同印刷技藝所呈現的印品風采與美感，透過這三方面來讓民眾更容易了解與親近展示內容，探索印刷產業的發展，呈現它在過去、現在、未來不同的風貌，而科工館所收藏的文物就作為見證臺灣印刷工業發展與技術面向的最佳佐證。

同時更期望本特展達成以下三個效益：1.藉由館藏印刷文物以及各式印刷成品的展出，提升展覽對於觀眾之吸引力。2.以深入淺出的方式，引介印刷技術之相關知識以及目前在工業上的最新發展，俾使觀眾能對日常生活密切相關之科技，有必要之認識與理解。3.以主題搭配時間軸的故事線呈現，配合生動有趣的展示手法，引介印刷科技的發展在時代更迭下與社會所發生的互動，引導觀眾思考與發掘出科技與社會互動的種種面向。

（二）策展佈局與架構

整個展示概分為6個區域，從A區「一本書的旅程」開始，細數科工館如何開始與印刷文物結緣，透過蒐藏與研究，耙梳出臺灣印刷產業的發展脈絡，B區「臺灣印象」以時間軸為故事線，介紹臺灣印刷產業的過去現在與未來。C區「技術印記」介紹「字」、「圖」、「版」、「印」、「裝」以技術主題的方式探討印刷技術的發展並以館藏藏品介紹印刷基本工序。印刷與我們生活息息相關，除了水、空氣無法印刷外，在D區「印藝良品」將印刷成品分為憑

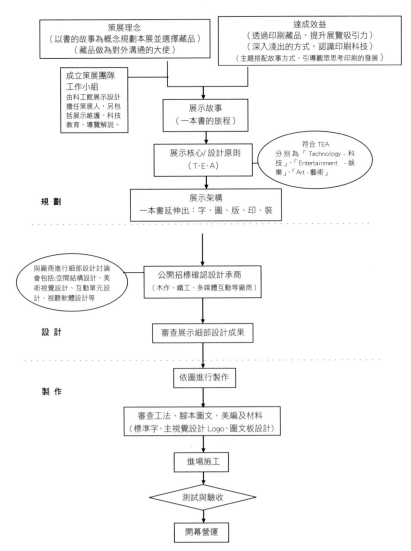

圖 1.「訴心相印～印刷文物」特展策展理念與流程架構策展理念與展示流程架構

跨界難不難？──用展示寫夢想

證、傳播、教育、藝術、廣告等 5 類展出與介紹，回顧過去、把握現在、展望未來在 E 區「復刻記憶~印樂園」以及 F 區「心心相印」兩個展區，要讓民眾了解傳統印刷與電腦化印刷作業的不同，同時介紹帶起的第三次工業革命關鍵之鑰的 3D 列印技術，引發參觀民眾思考印刷的下一步。

為了呼應一本書的旅程，本特展當中設計了「印象手札」體驗活動，讓參觀民眾可以透過參觀本展覽，動手操作現場的小道具及科工館的館藏印刷機，體驗製作一本書的過程，包括：蓋章、拓圖、撿字、排版、壓印與裝訂，親自手作（hand made）一本專屬自己的手冊，透過親身參與，真的認識「一本書」的「旅程」。讓展覽不在只是用看的，還帶有一些屬於自己的獎勵，帶走一些屬於自己創作的東西，同時更可親手觸摸到藏品，讓參觀民眾與博物館展示、館藏有更緊密的連結，創造民眾「參觀前的期待」、「參觀時的感動」、「參觀後的回憶」。

二、溝通橋樑 2：藏品建構特展

科工館在印刷文物上的蒐藏歷經多年的累積確有一定的基礎，有關印刷主題的專案研究超過 10 個以上，蒐藏的文物超過 200 件，建立了近百張的文物圖片，口述歷史紀錄影帶超過 15 卷，整體的文物詮釋紀錄及主題研究相當堅實，尤其在臺灣活版印刷上的研究更是相當完整，不過在「印刷品」上的文物則較為缺乏，例如：活字排版書、石版畫、或者石印海報及標貼，這個部份就必須透過商借蒐藏家來補足展示內容。

（一）藏品的規劃與安排

本特展的藏品選擇在 A 區「一本書的旅程」、C 區「技術印記」及 E 區「復刻記憶~印樂園」的部分是以技術主題的方式探討印刷技術的發展，因此挑選館藏物件介紹印刷

基本工序。藏品的規劃與安排是先將科工館的文物依據其「功能」進行分類，搭配展示架構中所提出的「字」、「圖」、「版」、「印」、「裝」選擇出相襯的文物搭配做展出，更重要的是，許多文物在當時都拍下了珍貴的「機器工作」時的影片，一同展出重現老機器的風采增加展示內容的深度。

　　而在 B 區「臺灣印象」及 D 區「印藝良品」的部分，是科工館館藏較無收藏的部分，就必須透過商借蒐藏家來補足展示的內容，而這個部份依據展示架構所分類的，需要有「憑證」、「傳播」、「教育」、「藝術」、「廣告」的印刷品來展現。因此，商借臺灣師範大學圖文傳播系吳祖銘教授、畫家陳景容先生及文史資料工作者郭雙富先生的精采收藏，透過不同印刷版式所印出的海報、書籍或者畫作，為展示內容增加廣度，期望民眾透過這些印刷品，對印刷的科學、科技或藝術的表現有更直觀的連結，強化展示故事。

（二）藏品的選擇與佈局

　　博物館藏品是博物館經過有目的與規劃之下，有系統的蒐藏成果。藏品為塑造博物館的重要因素，為博物館訂定發展方向與特色，博物館蒐藏的形成，就是為博物館工作所做的準備。本特展的藏品選擇及規劃係依據展示架構進行安排。文物典藏端賴史料研究的方向指引，史料研究必須有文物的佐證，透過科技文脈與展示觀點方能讓藏品達到與外界溝通的效果。在科工館長期的辛勤耕耘下，印刷文物的典藏藍圖具備價值及基礎，因此，本特展在「一本書的旅程」的展示架構下，利用「T・E・A」的核心概念來發展，充分顯現藏品存在的價值，進而延伸至每一項藏品與不同時空的關係，凸顯其生命力。

三、溝通橋樑 3：以特展行銷藏品

藏品是博物館行銷的重要工具，因為藏品是形塑博物館特色以及博物館資源的來源，藏品創造出博物館與其他博物館的差異，因此有助於建立自身的品牌與形象。今年（2014 年）的國際博物館日更以「博物館藏品搭建溝通的橋梁」，顯現博物館典藏品是博物館行銷很重要的利器。

（一）策略構想

本特展為一自策的收費特展，展期為 102 年 12 月 20 日~103 年 4 月 20 日，展出約 4 個月，橫跨春節假期、寒假、清明假期，科工館遂以學生觀眾、親子觀眾及旅遊客層三大族群為目標對象展開行銷的構想，採用行銷公關的策略，此策略在進行時可以使用的工具有事件、新聞、出版刊物及演講（浦青青，2001）。茲簡要說明如下：

1. 事件：以計劃好的特殊事件如記者會、開幕儀式等等方式吸引大眾對博物館推出活動的注意。

2. 新聞：製造新聞，如研究成果發表、特殊新展品或者特展等，都是行銷公關應善加發揮的題材。

3. 出版刊物：博物館自行印製的簡介、簡訊、多媒體簡介，甚至網路、電子報等出版品，可以作為公共關係、廣告宣傳或直接行銷之用。

4. 演講活動：由博物館具專業知識的領導階層發表公開演說活動。

利用行銷公關的策略，進而整合本身的資源，透事件行銷運用傳播策略，使本特展成為大眾關心的話題、議題，因而吸引媒體的報導與消費者參與。博物館身為非營利的社教機構，其行銷與一般營利企業行銷略有不同，所提供

的產品通常是服務和行為交換而非實體產品，追求博物館使命以及理想的實踐。但如能讓民眾透過消費來滿足展覽所提供的各項服務，讓消費挹注博物館收入，也可進一步提升博物館的營運績效，實際上就是民眾與博物館雙贏的局面，

（二）四工具運用成果

運用行銷公關傳播的優點在於訊息傳達的一致性且預算能以最經濟的方式達到應有的功能，對非營利機構是非常適合的宣傳策略。因此本特展在有限的預算之下，以以下方式來進行本特展的行銷推廣。

1. 事件

（1）記者會：共有兩場，第一場是開幕前一天（102年 12 月 19 日）舉行特展記者會，主要訴求在展現科工館在文物資產保護以及豐富館藏運用藏品舉辦特展，吸引各媒體注意並前來報導，有 2 家廣播電臺，1 家有線電視以及 5 家報社參加。第二場則在 103 年 3 月 12 日，以 3D 列印技術為特色，以 3D 列印機印出全台最長的實體物–長毛象為展出重點，有別於第一次記者會是以老舊的印刷機器為主，來凸顯印刷產業在 21 世紀的發展願景。有 3 家廣播電臺，3 家有線電視以及 12 家報社參加。

（2）科教活動：展示和科教活動是一體兩面，活潑多樣的科教活動可以強化展示的廣度與深度，也可以彌補展示的不足（張崇山，2003），因此，展出期間舉辦許多科教活動，除了每天都進行的印象手札體驗製作一書過程的活動及 3D 列印定時演示解說活動外，在特定假日還利用藏品–館藏印刷機讓民眾動手操作，體會活版印刷的樂趣。展覽期間還因應不同月份、不同參觀族群再推出三個系列活

動：

　　系列一：針對親子團體於春節假期（2 月 1 日~2 月 4 日）辦理「看印刷文物特展，有機會獲得 3D 列印迎春禮」及「印象手札隱藏版」活動，合計約有 600 人次參與。

　　系列二：以學生文青為主，因應開學於 3 月及清明假期推出「我的印刷年代尋找 Mr.Right」系列活動，活動內容：活動主軸設定為優惠票價及運用科工館藏品石印機進行展演活動，合計超過 195 人次參與。

　　系列三：「吉象如意~3D 列印長毛象活動」，運用 3D 列印機印製全臺灣目前所知最長的 3D 列印實體物，透過實際展演活動讓民眾了解 3D 列印的發展以及運用的技術，合計超過 420 人次參與。

　　上述活動的推出讓民眾打破原有對「印刷」主題艱深不易親近的刻板印象，其中「印象手札」活動及「吉象如意~3D 列印長毛象活動」最為吸引民眾，媒體報導的次數也最多。

圖 4.最受歡迎的隨展科教活動：印象手札。

圖 5.媒體報導最多活動「吉象如意~3D 列印長毛象活動」。

2. 新聞：為製造新聞策展小組主動出擊，除了在展覽現場收集參觀民眾的參觀心得及觀察參觀行為外，更重要的是，適時搭配時事及流行話題，設計新聞事件，以事件行銷（event marketing）或活動行銷的方式，來吸引民眾的目光，引發參觀興趣，操作議題涵括以下主題：

主題 1：與流行文化有關：「我的印刷年代，5 個你非看本展的理由」、「來自印刷展的你，超閃亮」、「比小鴨更夯，比圓仔更萌，快來看科工館「印刷文物特展」體驗神乎奇技的 3D 列印」、「三月天~吉象如意:3D 列印長毛象」等 15 則。

主題 2：與時事議題有關：「創造小確幸~印刷展帶您找好康」、「蝦米，參觀印刷展也有懶人包」、「你眼花了嗎？這是訴、這是訴，說文解字印刷展展覽名稱」等 13 則。

主題 3：與民眾參觀行為有關：「我在印刷展好忙」、「觀眾參觀印刷文物展的五種方法」、「粉絲都怎麼逛印刷展呢？」等 14 則。

主題 4：趣味性的：「蜂蜜，不純殺頭：印刷標貼」、「義賊廖添丁歌？居然有六集」「石頭不只能用來烤肉，還可以印刷！？」等 13 則。

博物館不可能砸大錢買電視或者平面廣告製造新聞的露出，因此藉由上述的議題來進行傳播行銷，這是本特展在製造新聞上所運用的模式。

3. 出版刊物：隨展設計一本「印象手札」，是一本展覽簡介也是活動手冊，放置於科工館服務臺、特展門口，

凡是購票的民眾都可以獲得，作為直接行銷之用。同時出版專刊，開幕典禮贈送貴賓，於科工館綠品店、本特展賣店及政府出版品通路販售，具有公關宣傳的效果。在定期刊物的運用，則固定於工博館簡訊（雙月刊）宣傳，發行量2萬冊。在網際網路上的運用，於科工館網站上公佈展訊息、寄發電子報給科工館2萬訂戶、同時利用科工館臉書，來傳遞展覽訊息。

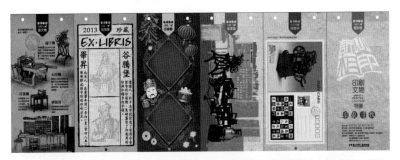

圖6.印象手札是導覽手冊也是活動手冊，參觀民眾依據手冊上的指示，運用展示現場設計的小道具及科工館的館藏印刷機體驗一本書的過程。活動包括：蓋印章、拓圖樣、印春聯、學檢字、選文物、來排版、壓封面以及練裝訂。

4.演講：無舉辦相關活動。

（三）實際例子：臉書效應

近年來網路社群的快速發展，對於許多產業的行銷策略造成很大的影響，除了傳統通路之外，網路社群已成為各品牌必爭的戰場，Facebook 在短短幾年之間掀起了網路使用者革命性的改變，其改變人類平常的生活習慣，甚至可以說改變了人類歷史中的生活行為，成為人們生活中的一部份。（陳照森 洪志評，2012）。Facebook 臉書效應是從 0 到 7 億的串連，其所產生的行銷效果是不容小覷，其

中又以粉絲專頁（Fan Page）最具前瞻性，除了既有的社交功能外，更成為企業眼中的行銷新平台。

　　有鑑於此，本特展的行銷公關策略也大量地運用博物館的粉絲專頁來進行訊息的傳遞，透過這次的策略發現發佈的訊息內容很重要，有深度及豐富的內容才能提升粉絲忠誠度並願意將訊息分享轉載，增加曝光率，同時，運用有故事性、分單元的階段性引導發佈訊息，更能引發閱聽人的興趣。以本特展推出第二波「我的印刷年代」系列活動為例，著重吸引不同年代的參觀民眾，都可以在展覽當中找到屬於自己記憶，活動內容包括：挑選十大必看展品、五個非看不可的理由、民眾可以操作科工館藏品 - 石版印刷機和打樣機及免費折扣來吸引民眾到訪，有規劃地進行 1 個半月的宣傳，共有 10 則訊息露出，被按讚 1,556 次，轉載 125 次。

圖 7.「我的印刷年代」系列活動，著重吸引不同年代的參觀民眾，都可以在展覽當中找到屬於自己記憶，挑選十大必看展品、五個非看不可的理由、操作博物館典藏品石版印刷機及打樣機，體驗 30 年代的印刷技術。（照片左邊為打樣機，右邊為石印機）。

肆．「訴心相印～印刷文物」特展個案問卷調查設計

一、問卷設計

問卷內容包括 4 大部份，第一部份為對「印刷文物展的整體看法」共 10 題，分別為「那些管道得知本展」、「參觀本展最主要的原因」、「最滿意本展那一部份」、「最不滿意本展那一部份」、「T.E.A. 三元素呈現感受程度」、「幫展覽打分數」，其中「那些管道得知本展」可複選。第二部份為「印刷文物特展展示內容與手法滿意度」共 6 題問項（具科技、娛樂及藝術、創意性、圖文易讀易懂、整體視覺效果、展示單元呈現次序流暢、是個值得看的展覽），衡量方式採取李克特 (Likert) 五點量表計分方式給予評等，分為 1= 非常不滿意、2= 不滿意、3= 普通、4= 滿意、5= 非常滿意。

第三部份為「對印刷文物特展欲傳遞的科學素養其看法」共 3 題問項（科學知識是否增加、難易度、參觀完是否充分了解本展的科學意涵、有助科普教育的推動），整體滿意度的衡量方式採取李克特 (Likert) 五點量表計分方式給予評等。第四部份為受測者基本資料共 7 題，包括性別、年齡、教育程度、職業、居住地、和誰一起來、參觀過幾次科工館。

二、樣本與問卷收發流程

自 103 年 1 月 1 日至 4 月 20 日間，進行問卷調查，本研究的樣本數在要求 99% 的信心水準與 5% 的容許誤差下進行，共發出 338 份，扣除掉填答不完整或填答錯誤的，有效問卷為 329 份，有效問卷回收率為 97.33%。

三、資料分析方法

使用 SPSS 統計軟體為分析工具，將觀眾個人基本

資料、行銷管道資料、參觀本特展最主要的原因、展覽相關資訊調查，使用描述性統計以次數分配、百分比加以分析，了解各衡量變項之分布狀況並反映出原始資料之特性。此外，並以次數分配、平均數探討本特展展示內容與手法滿意度。

伍.「訢心相印～印刷文物」特展個案調查結果分析

一、印刷文物展的整體看法

（一）行銷管道資料分析（複選題）

本特展的行銷管道包括：報紙、科工館簡訊、廣播、臉書、親友告知、剛好來科工館看到、科工館網頁、師長推薦、由科工館寄出的電子報得知、科工館戶外牌樓、PTT 網站及其他等 12 項，而此選項為複選題不計算樣本總數與有效百分比。經統計發現排名第一的為「剛好來科工館看到」、其次是「臉書」，再則為「師長推薦」，選擇次數分別為（147 次、77 次和 68 次）。

表 1. 您從哪些管道得知『印刷文物特展』（複選題）

題項	管道方式	選擇次數
您從哪些管道得知『印刷文物特展』	報紙	4
	科工館簡訊	29
	廣播	3
	臉書	77
	親友告知	56
	剛好來科工館看到	147
	科工館網頁	59
	師長推薦	68
	由科工館寄出的電子報得知	1
	科工館戶外牌樓	38
	PTT 網站	15
	其他	18

受限於經費預算，博物館不可能花大錢買廣告製造新聞的露出，因此本次的行銷宣傳特別在臉書上多所著墨，透過行銷公關策略也大量地運用科工館的粉絲專頁來進行訊息的傳遞，本特展臉書訊息一共露出 55 則 在展覽期間平均 2-3 天露出一則，在此平台上找到可借用的話題引發閱聽人的興趣，由問卷調查發現，臉書成為受測者知道本特展的宣傳管道第二名，顯見社群網站儼然成為 21 世紀新的傳播載具，成為博物館營運的新利器。

（二）參觀本特展主要原因

所有受測者中有 100 人次（30.4％）參觀本展的主要原因是「對印刷設計等主題有興趣」，佔最多數，其次是因為「文宣的吸引」58 人次佔 17.6％，再來是「朋友同儕推薦」（56 人次，17.0％）。

本特展共選了科工館文物共 84 件，借展文物 50 件文物，透過剖析文物達到科學、科技的傳達。借展協辦單位分別為：臺灣師範大學、國航科技公司、郭雙富、吳祖銘、陳景容。顯示藉由館藏印刷文物以及各式印刷成品的展出，有助於提升展覽對於觀眾之吸引力，成為受測者到訪參觀的最主要原因。

表 2. 您今天來參觀本特展最主要原因為何？(n=329)

變數	題項	樣本數	百分比 (%)
您今天來參觀本特展最主要原因為何	受傳播媒體影響	5	1.5
	文宣吸引	58	17.6
	師長的介紹	18	5.5
	朋友同儕推薦	56	17.0
	教學課程的一部分	19	5.8
	經常性來科工館參觀	45	13.7
	對印刷設計等主題有興趣	100	30.4
	其他	28	8.5

（三）本特展整體滿意度分析（N=329）

97.3% 的受訪者對本特展的整體表現抱持滿意的態度（51.1% 非常滿意，46.2% 滿意），進一步看受測者對本特展哪一個部份最滿意，佔 48.6% 的「展示內容」在四個項目中排行第一，而覺最不滿意的部分，將近 92.7% 的民眾填答「沒有不滿意的」。

近 9 成的滿意度，再加上不到 1% 的不滿意度，代表讓民眾透過很簡單的故事包裝，有系統地選擇藏品以及內容規劃，引發受測者對於印刷產業的基本認識，有效達到利用藏品規劃特展，透過藏品行銷特展，建構科工館博物館專業的形象。

表 3.在參觀今天的展覽後，您對本特展的整體表現 (n=329)

變數	題項	樣本數	百分比 (%)
在參觀今天的展覽後，您對本特展的整體表現	非常滿意	168	51.1
	滿意	152	46.2
	尚可	7	2.1
	不滿意	1	.3
	非常不滿意	1	.3

表 4.您對本展哪一部份最滿意 (n=329)

變數	題項	樣本數	百分比 (%)
您對本展哪一部份最滿意	展覽內容	160	48.6
	展場設計規劃	80	24.3
	展場參觀品質	59	17.9
	其他	30	9.1

表 5.您對本展哪一部份最不滿意 (n=329)

變數	題項	樣本數	百分比 (%)
您對本展哪一部份最不滿意	展覽內容	9	2.7
	展場設計規劃	13	4.0
	展場參觀品質	2	.6
	沒有不滿意的	305	92.7

（四）T.E.A. 三元素呈現感受程度（n=329）

　　本特展的展示規劃三個重要的核心概念：即「T・E・A」，分別為「Technology- 科技」：探索印刷技術的科學與科技、「Entertainment- 娛樂」：動手體驗做一本書的過程、「Art- 藝術」：欣賞不同印刷技藝所呈現的印品風采，透過這三方面來讓觀眾更容易了解印刷這個主題。因此，特別透過問卷來調查受測者的感受程度，有超過5成的受訪者（53.5%）非常有感受，9成有感受，顯示策展的核心概念透過展示的規劃與設計讓民眾充分感受到。

圖 8. A 區：一本書的旅程

圖 9. D 區：印藝良品

表 6.T.E.A. 三元素呈現感受程度（n=329）

變數	題項	樣本數	百分比（%）
T.E.A. 三元素呈現感受程度	非常有感受	176	53.5
	有感受	123	37.4
	普通	23	7.0
	沒感受	7	2.1
	完全感受不到	0	0

（五）展示單元滿意度

本次特展共有 6 個展示區域，為了解受測者的滿意程度，特別進行調查，最滿意的展示區域是 C 區：技術印記（介紹印刷技術）（佔 31.0%），最不滿意的展示區域則是 B 區：台灣印象（介紹台灣印刷產業發展）（佔 62.0%）。

從問卷結果發現以一本書的旅程（字、版、圖、印、裝）來貫穿展覽，達到一定的成效，依據展示架構（圖 2）發現，C 區：技術印記，正是用這樣的分類來進行展示規劃以及藏品的選擇，透過這樣的安排讓觀眾很有系統、且相當生活化地親近印刷技術從而瞭解發覺，策展人一度認為最艱澀的展示區域，反而成為受測者最滿意的。

表 7. 您最喜歡本展當中的哪一個展示區域？（僅選一項）(n=329)

題項	樣本數	百分比(%)
A 區：導入區～一本書的旅程	18	5.5
B 區：台灣印象（介紹台灣印刷產業發展）	37	11.2
C 區：技術印記（介紹刷技術）	102	31.0
D 區：印藝良品（介紹印刷品）	33	10.0
E 區：復刻技藝～印樂園（古今印刷對照）	58	17.6
F 區：心心相印（印刷技術的創新與發展）	81	24.6

表 8. 您最不喜歡本展當中的哪一個展示區域？（僅選一項）(n=329)

題項	樣本數	百分比(%)
A 區：導入區～一本書的旅程	56	17.0
B 區：台灣印象（介紹台灣印刷產業發展）	204	62.0
C 區：技術印記（介紹印刷技術）	22	6.7
D 區：印藝良品（介紹印刷品）	22	6.7

E 區 : 復刻技藝~印樂園（古今印刷對照）	12	3.6
F 區 : 心心相印（印刷技術的創新與發展）	13	4.0

圖 10. 最喜歡的展示區域，C 區 : 技術　圖 11. 排名第二喜歡的展示區域，F 區 :
印記（介紹刷技術）。　　　　　　　心心相印（印刷技術的創新與發展）。

（六）受測者給本展的分數

請受測者替本特展打分數，滿分為 100，平均下來的
分數為 92.18 分，最高給到 100 分有 20.7%，而佔最高百
分比為 90 分，佔 29.3%，最低分為 70 分有 0.3%。

表 9. 請您給本特展打個分數（n=329）

變數	平均分數	眾數
請您給本特展打個分數	92.18	90

分數分佈人數及所佔百分比		
分數	人數	百分比%
100	70	20.7
99	9	2.7

98	14	4.1
97	2	0.6
96	3	0.9
95	55	16.3
92	4	1.2
90	99	29.3
89	6	1.8
88	9	2.7
87	1	0.3
86	2	0.6
85	21	6.2
83	2	0.6
82	1	0.3
80	28	8.3
75	2	0.6
70	1	0.3

（七）受測者認為本特展最大的特色為何

　　受測者認為本展最大特色排名第一為「內容充實」佔48.9%，其次為「趣味生動」有33.4％。科工館在印刷主題上的的蒐藏與研究已有相當的基礎，歷經多年努力具備堅實的基礎。透過問卷發現「內容充實」是受測者認為本特展的最大特色，顯見科工館豐富的典藏以及對此議題的研究能量透過此特展做一次全面的展現，讓民眾感受到，而透過本特展也展現科工館持續關注於臺灣產業歷史研究的專業。

圖 12. 展現豐富的館藏文物。　　　　圖 13. 逢源印刷廠排版房原樣呈現。

表 10. 您覺得本特展的最大特色是 (n=329)

變數	題項	樣本數	百分比 (%)
您覺得本特展的最大特色是	策展方式新穎	54	16.4
	內容充實	161	48.9
	趣味生動	110	33.4
	其他	4	1.2

（二）印刷文物特展展示內容與手法滿意度

　　為了解受測者對本展展示內容與手法滿意度，因此針對展覽規劃設計提出 7 個小項，調查受測者的滿意度，包括：展示兼具科技、娛樂及藝術、空間設計具創意性、圖文內容易讀易懂、整體視覺效果、展示單元呈現次序流暢和是個值得看的展覽。其中「是個值得看的展覽」獲得 94.2% 的滿意度（滿意加非常滿意），其次為「展示兼具科技、娛樂及藝術」（94.2%）及「展示單元呈現次序流暢」（90.9%）。

　　從排名前兩項結果發現其呼應本特展預達成的效益「以主題搭配時間軸的故事線呈現，配合生動有趣的展示手法，引介印刷科技的發展在時代更迭下與社會所發生的互動，引導觀眾思考。」讓受測者願意推薦給更多人來看。

而「展示單元呈現次序流暢」部分，則顯示以一本書的故事包裝，讓民眾透過故事的包裝策展的理念來了解印刷，認識印刷科技，行銷科工館蒐藏的特色，達到一定的成效，讓觀眾感受到滿意，體會策展人的規劃想法。

表 11. 印刷文物特展展示內容與手法滿意度

變數	題項	樣本數	百分比(%)
展示兼具科技、娛樂及藝術	非常滿意	121	36.8
	滿意	189	57.4
	普通	19	5.8
	不滿意	0	0
	非常不滿意	0	0
空間設計具創意性	非常滿意	94	28.6
	滿意	191	58.1
	普通	43	13.1
	不滿意	1	.3
	非常不滿意	0	0
圖文內容易讀易懂	非常滿意	108	32.8
	滿意	177	53.8
	普通	41	12.5
	不滿意	3	.9
	非常不滿意	0	0
整體視覺效果	非常滿意	107	32.5
	滿意	185	56.2
	普通	35	10.6
	不滿意	2	.6
	非常不滿意	0	0
展示單元呈現次序流暢	非常滿意	117	35.6
	滿意	182	55.3
	普通	30	9.1
	不滿意	0	0
	非常不滿意	0	0
是個值得看的展覽	非常滿意	147	44.7
	滿意	171	52.0
	普通	11	3.3
	不滿意	0	0
	非常不滿意	0	0

（三）「對印刷文物特展欲傳遞的科學素養其看法」

有過半的受訪民眾（75.1%，247人）表示本特展內容難易度適中，有五成的人（64.4%，179人）認為部份了解本展展示主題之科學意涵。在認為對科學知識增加的問題中，回答增加很多的人有173人，佔52.6%。至於本特展對於推動科普教育的部份有201人（61.1%）認為有幫助。根據問卷結果分析發現本特展達成「以深入淺出的方式，引介印刷技術之相關知識以及目前在工業上的最新發展，俾使觀眾能對日常生活密切相關之科技，有必要之認識與理解」的預期效益，顯見透過特展來包裝藏品，加以詮釋及轉化，是可以讓民眾在有系統的故事架構下，對印刷技藝產生認識與理解。

表 12.「對印刷文物特展欲傳遞的科學素養其看法

變數	題項	樣本數	百分比(%)
看了本展後，您覺得自己對這方面的科學知識之了解有沒有增加？	增加非常多	50	15.2
	增加很多	173	52.6
	增加一些	100	30.4
	只增加了一點	6	1.8
	完全沒有增加	0	0
變數	題項	樣本數	百分比(%)
您覺得本展內容的難易度如何呢？	很難	0	0
	有點難	41	12.5
	適中	247	75.1
	簡單	32	9.7
	很簡單	9	2.7
變數	題項	樣本數	百分比(%)
請問參觀後您是否了解本展展示主題的科學意涵？	充分了解	149	45.3
	部分了解	179	54.4
	不了解	1	.3

變數	題項	樣本數	百分比(%)
請問您認為本展是否有助於科普教育的推動？	非常有幫助	106	32.2
	有幫助	201	61.1
	尚可	22	6.7
	無幫助	0	0
	非常沒幫助	0	0

（四）受測者基本資料

　　本次抽樣調查中，女性佔 59.6％ 略高於男性的 40.4.％，在觀眾年齡層部份，以 19-22 最多（25.5％），教育程度方面以大學（專）（62.9）最多，職業以學生最多為 52.9%，在和誰一起來部份，多半是與朋友同行（51.7％），居住地以高雄居多，占整體的 41.6%，來幾次呈現平均分布，第一次參觀占整體的 34%，二至四次占整體的 33.4%，5 次以上占整體的 32.2%。

表 13. 受測者基本資料次數分配表 (n=329)

變數	題項	樣本數	百分比(%)
請問您今天是和誰一起來？	自己	46	14.0
	家人	105	31.9
	朋友	170	51.7
	學生團體	4	1.2
	其他	4	1.2
請問您曾來科工館參觀過幾次？	第一次參觀	112	34.0
	二至四次	110	33.4
	5 次以上	107	32.5
請問您住在哪裡？	高雄	137	41.6
	台南	55	16.7
	嘉義	7	2.1
	屏東	19	5.8
	其他	111	33.7
性別	男	133	40.4
	女	196	59.6

	10-12	16	4.9
	13-15	30	9.1
	16-18	49	14.9
	19-22	84	25.5
年齡	23-30	80	24.3
	31-40	45	13.7
	41-50	17	5.2
	51-60	6	1.8
	61 歲以上	2	0.6
	國小以下	16	4.9
	國中	14	4.3
教育程度	高中職	44	13.4
	大學專	207	62.9
	研究所以上	48	14.6
	學生	174	52.9 1
	工	26	7.9
	商	36	10.9
	公	11	3.3
職業	教	23	7.0
	軍	5	1.5
	自由業	21	6.4
	無	14	4.3
	其它	19	5.8

陸 . 結論與建議

　　透過問卷調查的結果，顯示本特展在規劃之初所提出的策展理念及行銷策略，都是呈現正面且肯定的結果，即透過書的故事軸線，有系統地選擇藏品及內容規劃，可引發受測者對於印刷產業的基本認識，達到利用藏品規劃特展，透過藏品行銷特展，建立與外界溝通的橋樑。何慧怡（2012）於臺北市立美術館藏品價值與運用之研究一文中指出，藏品是博物館功能重要的內容之一，是博物館的核心，展示、教育與研究功能的進行皆是以藏品為出發。而

博物館蒐藏工作是一個持續性、脈絡化的科學與社會文化過程，更與博物館之其他實踐，例如展示、教育、觀眾服務具有密切關係，藏品對於博物館的重要性，猶如博物館的心臟，動能的來源。藏品運用於博物館的各項工作中，成為博物館重要的資源與形塑博物館特色與獨特性的重要方式。

本特展將博物館蒐藏品經過有系統策劃及安排展示，除提供民眾認識了解印刷文物之外，也展現生活文化的演變。在教育及文化保存的作用上一定有其潛移默化的影響力，本特展的展出，顯現科工館有能力將蒐藏品加以活化展現並提供參觀民眾認知學習或是體驗思考自己生活的一部分，有效利用藏品搭起民眾與博物館的橋樑，讓民眾認識科工館具備的博物館專業及特色。

綜合前述之調查結果，提出以下結論：

一、實踐策展理念

本展提出「T Technology- 科技。E Entertainment- 娛樂。A Art- 藝術」的策展理念，利用一本書的故事為軸線，讓民眾透過故事的包裝策展的理念來了解印刷，認識印刷科技，行銷科工館蒐藏的特色。而透過問卷發現，9成的民眾對「T。E。A」是有感受，顯示策展的核心概念透過展示的規劃與設計讓民眾充分感受到。而在「展示單元呈現次序流暢」有90.9%受訪者滿意。顯見以字、版、圖、印、裝（展示架構）來貫穿展覽，達到一定的成效，深入淺出的方式來介紹印刷技藝，讓民眾有一定的認識與理解。

二、藏品扮演對外溝通大使

97.3%的受訪者對本展的整體表現抱持滿意的

態度，進一步看受訪者對本展哪一個部份最滿意，佔48.6%的「展示內容」，而覺最不滿意的部分，將近92.7%的民眾填答「沒有不滿意的」。本展共選了科工館文物共84件，借展文物50件文物，透過剖析文物達到科學、科技的傳達。所有受訪者中有100人次（30.4％）參觀本展的主要原因是「對印刷設計等主題有興趣」，顯現藉由館藏文物確實吸引民眾到館參觀。

有過半的受訪民眾（75.1％，247人）表示本展內容難易度適中，有五成的人認為部份了解本展展示主題之科學意涵。至於本展對於推動科普教育的部份有201人（61.1％）認為有幫助。顯見藉由館藏印刷文物的展出，有助於提升展覽對於民眾之吸引力及展覽內容的理解。

三、發揮槓桿效益的行銷

本展以行銷公關策略方式宣傳本展，透過事件、新聞、出版刊物等方式整合本身的資源，以具企劃力和創意性的活動或事件，讓展覽成為民眾關心的話題，吸引民眾的參與。在對外行銷宣傳的部分，在怎麼知道本特展的訊息的部分，經統計發現排名前分的分別是「剛好來科工館看到」、「臉書」及「師長推薦」，顯見社群網站儼然成為21世紀新的傳播載具。

綜合前述之調查結果，提出以下建議：

一、延伸藏品的展示價值

本特展大部分的展品都是科工館的蒐藏品，因此建議與其深藏在難得開放的庫房內，不如將之設計為常設展覽或者走出博物館，提供國、內外所有參觀者

更了解這些藏品的功能作用或與生活相關，延伸藏品的展示價值，更可以提供不同地區的民眾更有機會接觸藏品，將科技融入民眾的生活中。

二、擴大藏品的經濟價值

博物館藏品的經濟價值最直觀的方式是衍生商品的開發，運用此方式的箇中翹楚非故宮莫屬，但透過此次個案之研究發現，以藏品發展科教活動其經濟價值也不容小覷，以科工館的印刷文物而言，展出的多部印刷機器不只是文物，更讓民眾動手操作，許多民眾相當有興趣操作這些 30-50 年代的老機器去印製屬於他們的作品，甚至參與設計 3D 公仔操作 3D 列印機，這些機器對民眾而言並不是「只能看，而不能褻玩」，這也是科技類博物館在館藏上有別於美術類博物館的一大優勢。善用科工館的印刷藏品延伸其經濟效益是有無限的可能，更有機會成為科工科工館館相當具有特色的資產。在博物館經費越來越緊縮的環境之下，藏品除了成為與外界溝通的橋樑更可以開展成為維持營運財務穩定的來源之一。

第七夢
愛的萬物論
－ 探索物聯網特展

解夢密碼：「愛的萬物論」+「論萬物的 I」
．物聯網特展中的物聯網 ．IoT

I. 智慧化時代的來臨

　　近年來，隨著物聯網以及其相關技術的發展，各行業特別是服務行業，積極從「資訊化」向「智慧化」演變，這個潮流順勢也帶起臺灣博物館諸多服務的改變。物聯網、大數據、人工智慧、機器人等，確實為博物館群帶來創新展示與教育的機會與願景。愛的萬物論 - 探索物聯網特展以虛實整合 － 線上到展示現場的整合互動展示方式打造「物聯網特展」中的「物聯網」將「虛」擬網路世界，透過「實」體的展示來展出 把日新月異的資通訊技術以互動敘事的方式將科技教育、資通訊技術研究與日常生活整合連結，並

在特展當中建構一套「虛實整合參觀民眾行為系統」，即時擷取觀眾參觀行為，發現更多博物館可應用範圍、服務模式與效用。

愛的萬物論 - 探索物聯網特展

II. 「愛的萬物論」+「論萬物的 I」籌展緣起

◆ 現在就是未來

⊙ 一個世代的轉變

還記得 25 年前筆者唸大學時，新聞系的教授在課堂上播了一段影片，影片的拍攝的地點是芬蘭的某間大學的校園，所有的學生拿著他們引以自傲的國民品牌手機，超自信地展現它的功能，例如：隨時隨地和同學打電話，還可以變成隨身聽，傳文字訊息等，超炫的界面讓人眼花撩亂，但最讓筆者印象深刻的是一影片的最後，居然有人用手機「嗶」的一聲，在自動販賣機上買了一罐可樂，當看到這裡時，班上所有的人除了驚呼，都外加了一句：「老師，不可能啦！」。是的，在 25 年前，所有人都認為不可能事，在 25 年後的今天，超過一個世代的轉變，這支影片告訴了我，不用懷疑「現在」看到像科幻電影場景中的人、事、物，都有可能就是你將面對的「未來」。科技發展以類摩爾定律的速度前進，幾乎每天都有讓人驚喜的技術產生，或許你無法第一時間「更新」，但一定要記得「跟上」，而博物館一向被視為是社會的「創新典範」，定不能輕忽這股銳不可擋的科技洪流及發展契機，而對於 20 歲的科工館當然更不會缺席，因此，今年科工館以「物聯網」為主題，帶領大家一同回顧過去，前瞻未來。

⊙ 「善解人意」的時代

英國科幻小說家亞瑟 • 克拉克曾說過：「任何先進的未來科技，都會帶來和魔法一樣的效果。」沒錯，當冰箱、桌子、咖啡機、體重計等「物體」都被施上科技魔法時，

它們會變得「有意識」且「通情達理」，這就是物聯網所創造的世界。物聯網是在電腦網際網路的基礎上，利用無線射頻識別技術、紅外感應、全球定位系統、雷射掃射器等訊息感應設備，按網路不同的定的協議，將任何「物品」與網路相連接，進行訊息交換和通訊，以實現智慧化識別、定位、追蹤、監控和管理。簡單來說，在物聯網的世界裡，所有的東西都會變得「善解人意」，當駕駛出現疲勞時，汽車會馬上接手開啟自動駕駛系統；出門前公事包會提醒主人忘了帶的東西；冷氣機會告訴窗戶請關窗，因為要進入冷房狀態。物聯網概念的問世，打破了傳統思維，過去的思維一直是將物理基礎設施，例如：鋪馬路、建大橋、蓋房子和資訊科技設施，像是電腦、伺服器及數據傳輸分開，但在物聯網時代，為了實現「善解人意」的情境，鋼筋、水泥、電纜都將與感測晶片及網路佈建整合為一，在此基礎上，人類可以以更精密、更即時的方式管理生產和生活，達到「智慧」的狀態。

◆ 愛的萬物論

　　很多人聽到筆者要策劃物聯網展示，都會問「這個主題要怎麼展？」、「很難懂耶！」當然，博物館並沒有通曉物聯網的專家，因此在決定要以這個主題當作今年（2017年）20 周年的館慶展時，筆者在 2015 年就先與臺灣科技大學物聯網研究中心周碩彥教授合作委託研究計畫，透過計畫把梳與收集有關物聯網的發展、關鍵技術、面臨的挑戰及可被商業化的應用。身為策展人的筆者，在細讀與整理過研究報告及相關資料後，決定將展示的核心理念定義為‐建構一個『人與人、人與物、物與物』溝通與串聯的未來世界，體現物聯網的精神，而在科技發展的脈絡就從『I』‐

我、『IT』- 資訊科技（Information Technology）、『ICT』-資通訊科技（Information and Communication）到『IOT』-物聯網科技（Internet of things）及工業 1.0~4.0 的發展來貫穿，將科技發展與人類文明透過有溫度的展示來訴說感動，以技術帶出教育，反思物聯網技術發展在時代更迭下與社會所發生的互動，引導觀眾思考人類世的未來，期望這個展示不單只是告訴大家科技，也告訴大家人類文明的進程 - "It doesn't just tell technology. It tells history of human civilization."

決定了展示核心，找出了展示設計理念，而為了引發民眾參觀興趣，進而親近展示，筆者發展出兩段故事來串連整個展示，第一段故事：虛實整合（O2O - Online to Onsite），建構智慧城市 Smart City：物聯網的基本架構為感知層、網路層及應用層所組成，本展示的參觀故事正建立在這樣的架構中，讓民眾透過自己的行動裝置搭配隨展手遊（網路），及展場中佈置的感測節點（感知）來參觀展示，線上遊戲結合現場展示來認識何謂物聯網，而為了增加參觀經驗還可以利用隨展手遊來累積虛擬金幣，而這些累積的虛擬金幣可以於展場當中的好「實」機，兌換自己喜歡的商品（應用），達到使用「虛擬」的貨幣購買「實體」的物品 M2M（machine-to-machine 或 man-to-machine）的物聯網經驗。第二段故事則是統計分析，即時顯示民眾參觀行為：物聯網的最終目的是預測，因此透過虛實整合的

好「實」機展品，民眾利用虛擬金幣兌換實體商品

展示模式，串接展場佈建的感測裝置及民眾資料。讓所有來館參觀的民眾透過展示創造自己的物聯網，建構智慧城市。

◆ 論萬物的 I

⊙物語 _ 凱文・愛斯頓

物聯網 – 網際網路通過無處不在的感測器連接到物理世界的系統。

"The Internet of Things -

A system where the Internet is connected to the physical world via ubiquitous sensors."

Kevin Ashton 1999 (born 1968)

在 1999 年，物聯網一詞由美國麻省理工學院 Auto-ID 中心主任愛斯頓（Kevin Ashton）提出後，這個詞彙開始成為 21 世紀最重要的關鍵字，也揭開了論萬物的 I 序幕。整個展示概分為 6 個區域，從啟動第四次工業革命開始，在 A 區「現在就是未來」，透過機器人劇場了解人類以蒸汽替代人力，走入電氣化時代，發展資訊技術帶起自動化生產，到智慧科技的發展歷程。如果沒有電腦，我們現在所做的工作需要四千多億人力才可以做完，來到 B 區「0 與 1 顛覆世界」，探索數位到類比的過程，學習與電腦溝通「挑戰二進位」。世界上第一台通用電腦 ENIAC 當時的體積約佔一個教室大小，但，積體電路技術的出現，ENIAC 的整個電路可以裝置在一張電話卡上。電腦科技的一日千里如何改變人類生活的面貌，透過本館典藏的電腦文物來觀察比較與現今所使用產品的不同，見證技術發展的軌跡。

20 世紀電腦與網路的結合，寫下了人類在通訊史上更輝煌的成就。它們串聯腦力，流通資訊，以倍數的槓桿效果，讓知識發揮了最大的力量。在 C 區「天涯若比鄰」從有線，無線到無限，發現如何將電腦透過電話線、天線以及衛星串連在一起，使在不同地區的電腦使用者們，能共享或共用網路的資源，讓上網就像呼吸一樣簡單，不出門就可知天下事，動手「MAKER 網路線」，體會網網相連的技術難度。而行動裝置的出現「隨身攜帶」與「隨時隨地」讓我們相信「連上網路，連上未來」。從電腦，網際網路到物聯網，隨著科技不斷的深入及創新，人類迫切地需要實現人與物、物與物之間的溝通，用以提升資訊透明度並即時做出正確的回應。來到 D 區「跨界『物』語」，從「認識物聯網的架構」帶你我解構感知層、網路層及應用層，認識快速發展的關鍵技術及迫切該面對的問題與挑戰。如果將物聯網當作人體來比喻，感知層如同皮膚及五官接受外界的刺激，透過神經網路來傳導正是網路層的任務，而位在雲端的主機會接收到大量的使用訊息，經過大數據的分析後，做出反應並給各裝置相對的指令，如同人類的大腦中樞，正是應用層面的執行。

當所有的物件通過網路而變得可讀的、可識別的、可定位的、可尋址的、可控制的，無縫地整合到虛擬世界中，實現隨時隨地的連接，那麼歡迎來到 E 區「智慧城市」，這裡將成為實現物聯網應用的重要場域。我們模擬了當智慧型裝置深入一般民眾生活後，食衣住行育樂等常態行為上的改變，該如何面對智慧化的時代，且邀請您一同來體驗。「我的家庭真可愛」透過 AR 擴增實境 360 度影片，實現比爾・蓋茲在「擁抱未來」書中所描繪的生活；在「四通八達任我行」中化身霹靂遊俠李麥克透過 VR 虛擬實境嘗試無人駕駛的情境模式；醫護機器人杯麵（Baymax）只能

在電影裡嗎?「健康照護無時差」體驗遠端即時智慧照護的功能;人機協同,物料管理,優化流程,關燈工廠,來「工廠物流智慧通」和機器手臂展開互動對話,產品客製化的年代已然開啟;信用卡已經不再是非現金支付的唯一選項了,行動支付如雨後春筍般竄起;在「娛樂消費虛與實」讓你前一秒在展場下一秒到賣場,體驗虛擬購物的樂趣。

　　每項科技的開發與進步,都是為了希望這個社會能更加進步,在「體驗 IoT 的力量」後,科學家口中的物聯網真的好嗎?它會是一個美麗新世界?還是被監控的圓形監獄?所有的物品都透過技術連上網路,拿起手機就可以掌握全世界,一低頭就可以滑出所有生活細節,這樣人與人之間,會不會少了人情味?逐漸疏離,到處充斥機器感?您曾反思過當機器人開始和人類共存時,你該信任誰?當人類的聰明(Intelligence)遇上機器的人工智慧(AI,Artificial Intelligence),萬物之間的 I 或許各有擅長,也許在運算型的工作上可以取代人類,但不要忘了人類的獨特之處就在於有愛的能力,這是現階段所有科學家最難以破解的程式。

E 區:智慧城市 - 虛擬購物樂 - 使用從頭到腳的 VR 裝置(虛擬實境)　　E 區:智慧城市 - 體驗智能車

⊙愛 I _ 李開復

我們距離完全掌握人的「心」還早得很，

更別說想要複製它了。唯有人類，能夠去愛和被愛。

李開復　2017（出生 1961，現為創新工場董事長）

⊙物 - 聯 - 網

　　「愛的萬物論 - 探索物聯網」特展是本館 20 周年的館慶展，不少人認為它是科工館承先啟後的一個象徵，而回顧過去這 20 年，似乎正巧也是不少技術發展的大躍進，例如：全球競相發展奈米科技、網際網路串起世界、臺灣大舉投入科技研發、電信自由化時代來臨及蘋果手機的問世等，因此，接下這項策展工作，對於筆者而言，是抱持著戰戰兢兢、如履薄冰的心情，除了期盼創造一個「寓教於樂」的展示外，更希望透過這個展示，建構新世代博物館虛實整合的參觀方式，同時為本館累積觀眾參觀行為的大數據，為下一個 20 年作準備，因為物聯網的最終目的是期望透過感測元件所收集到的資料，進行數據分析，最終做到預測進而精準行銷與決策。在此特別感謝教育部「智慧博物館」專案計畫的補助，讓展示得以順利推出，周碩彥教授，謝聖啟老師專業的指導，上銀科技股份有限公司贊助九支世界水準的機械手臂及宏碁雲端技術服務股份有限公司提供智慧照護相關產品。謹以此文紀錄筆者展示規劃時的初心與想表達的故事 -「愛的萬物論」+「論萬物的 I」。

III. 虛實整合－以 Beacon 技術探析博物館參觀民眾行為

壹. 前言

近年來，隨著物聯網以及相關技術的發展，各行業特別是服務行業，對於室內定位技術的需求越來越強烈，這個潮流順勢帶起博物館的諸多服務，從「資訊化」向「智慧化」演變。Ellen Gamerman（2014）於 When the Art Is Watching You 一文中，探討關於美國博物館近年嘗試藉由在展場設置廣泛的 beacon（微定位），用來捕捉進場所有訪客的行為數據，分析每個來參訪的觀眾行為。隨著博物館辦展理念的轉變，單純的展品陳列已經不是展示設計者所追求，服務觀眾正逐漸成為展覽的核心價值。因此，對觀眾參觀行為的評量研究，逐漸成為博物館提高展覽服務品質以及制定發展策略的重要依據。

將 beacon 設備作為收集使用者資訊的介質，準確記錄觀眾在展廳各區域停留的時間，以及他們在參觀過程中的具體參觀行為，這些資料能夠真實地表現出觀眾的實際感受，方便館方對一些深層次的細節問題，做出具體的估量和分析。這種形式的觀眾調查，會比傳統的方式更便捷、更高效。更重要的是，傳統的觀眾行為觀察只是抽樣選擇了個體觀眾或少部分群體觀眾，近似隨機性質的調查方式誤差性很大，不能確保資料的穩定性和準確性，而通過 beacon 收集的觀眾數據，近似於全樣本資料，相比抽樣資料而言，更能準確地評量觀眾的行為，並能結合推薦系統，根據觀眾的瀏覽、搜索、喜好等行為，為他們推薦喜歡和關注的展示或者活動（于暉、張玉翠，2015）。

本文就以國立科學工藝博物館（以下簡稱科工館）「愛的萬物論－探索物聯網」特展（以下簡稱本特展）為設計的實作場域，嘗試建構以參觀者為中心之智慧博物館展示模

式，藉以評量觀眾參觀行為，這套「虛實整合參觀民眾行為系統」（Online to Onsite visitor behavior system）（以下簡稱 OOVBS）係以 beacon 微定位感知技術為基礎，利用資訊科技、行動裝置、人機介面 App 等技術，搭配本特展現場實體的互動單元，來追蹤出參觀者的參觀軌跡，進一步記錄其對該展示內容的認知、理解、需求與學習型態，建立參觀該展示的學習履歷。其次再就使用者的涉入程度、操作行為，整理出展場中所陳設展示的「資訊呈現方式及內容」是否適切並加以分析，進而改善，以期藉此建立良好、有用的虛實整合展示設計模式。同時，通過資訊回饋系統建立博物館與參觀者的雙向互動平臺，實現參觀者與博物館的即時對話。

貳. 博物館與大數據的關係

　　從評量觀眾的行為、展場設計到行銷策略，大數據分析正在扭轉全世界博物館管理的眾多層面。大都會博物館[1]嘗試藉由在展場設置廣泛的 beacon 用來捕捉進場的所有訪客行為數據，例如：你在博物館裡逛了多久、藉由駐足時間判斷你喜歡哪些展品，或是不喜歡哪些展品，有沒有去紀念品店等等，這些資料通通都進了資料庫內，而這些數據都是為了能為來訪的觀眾帶來更加個人化的體驗。美國麻州的諾曼羅克韋爾博物館[2]更是從大數據中獲得了更實質的營收增長，他們從大數據中分析出了訪客的各種行為模式，並套用在他們的紀念品店內，讓紀念品店的營收大幅度的增長，並且也將這些模式用於各種展覽的精準行銷上，使得他們的年訪客量獲得了成長。而美國德州達拉斯美術館[3]更是執行了一項常客專案，透過用資料換好康的方式，讓

1　引自 Ellen Gamerman.,2014,Dec.11.When the Art Is Watching You. 文中資料。
2　同上
3　同上

參訪的觀眾為了拿到獎勵品而願意不斷地回訪美術館。

在其他博物館部分，法國的羅浮宮[4]就充分利用移動客戶端，實現了場館內景點的即時導引，幫助遊客迅速達到目的地。上海自然博物館[5]建立藏品大數據及觀眾行為數據，對觀眾關注的內容、停留時間及軌跡分析等進行了解。以上這些例子都是展示透過大數據的方式，為自己帶來了更進一步的提升。綜上所述，不難發現「智慧化」的管理儼然成為博物館提升服務品質的重要發展方向，因為未來數位時代的想像、改變、衝擊與影響實難以預估，如何為觀眾提供量身訂做的博物館服務，進一步達到精準行銷，定離不開大量的基礎研究和數據採集，新世代博物館不能輕忽這股銳不可擋的科技洪流及發展契機。我們面臨什麼樣的未來？瞬息萬變，不可預知，或許無法第一時間「更新」，但一定要「跟上」。

參 . 個案實作規劃與設計

一、實作緣起

本特展是教育部「智慧服務 全民樂學 – 國立社教機構科技創新服務計畫」由科工館 106 年所提出來的子計畫之一，目的是期望透過博物館多元的展示手法，讓民眾認識物聯網科技在生活日常上的應用發展及對未來的影響，而為了讓展示內容及民眾參觀方式更貼近體現物聯網的環境，將展示的理念定義為 - 建構一個『人與人、人與物、物與物』溝通與串聯的未來世界，據此發展出兩段故事來串連整個展示，第一段故事為虛實整合（O2O - Online to Onsite），建構智慧城市 Smart City。物聯網的基本架構為

---

4 引自夏澂（編譯），2015。海外智慧博物館巡禮－採用各種新技術，以娛樂的方式傳遞文化內涵，文中資料。

5 同註4

感知層、網路層及應用層所組成，本特展的參觀故事正建立在這樣的架構中，讓民眾透過自己的行動裝置搭配隨展APP(網路)，及展場中佈置的感測節點(感知)來參觀展示，線上遊戲結合現場展示來認識何謂物聯網，而為了增加參觀經驗還可以利用 App 來累積虛擬金幣，而這些累積的虛擬金幣可以於展場當中的好「實」機，兌換自己喜歡的商品(應用)，達到使用「虛擬」的貨幣購買「實體」的物品M2M（Machine-to-Machine 或 Man-to-Machine）的物聯網經驗。

第二段故事則是統計分析，即時顯示民眾參觀行為。物聯網的最終目的是預測，因此透過虛實整合的展示模式，串接展場佈建的感測裝置及民眾資料，讓所有來參觀的民眾透過展示，來創造屬於自己的物聯網，建構智慧城市。因此，為達成這樣的展示設定與需求，科工館進行了一項不同於以往的展示設計方式，在過去幾年，科工館廣泛運用多媒體的互動展示手法，來強化觀眾的參觀經驗，這次，除了滿足觀眾參觀經驗外，科工館也希望透過觀眾傳遞的訊息和使用的行為，來修正我們的設計經驗。

二、應用技術與架構

以往在臺灣的博物館，各展示裝置都是各自分散並獨立運作，不僅難以掌控各裝置之運作情況，也無法掌控每個使用者對各個裝置的使用情況，因此藉由本特展建置之機會，將展區內所有互動裝置全數連網，讓物聯網展示也是一個真正的物聯網運作區域，同時全展廳內佈建beacon，並與隨展 APP、大數據平台系統進行整合，讓我們能夠更精準地掌握觀眾的行為模式，進而提高後續大數據分析結果的精準度與可靠性。本特展 OOVBS 整體架構有三大項目，分別為「展場系統結構」、「區域系統結構」、「APP結構」，架構及應用見圖 1 及圖 2。

為使主要伺服器可以不受展場高峰時段流量影響,將以各展區為子伺服器進行分流規劃。主要伺服器主要負責整個展場的資料最終儲存、子伺服器資料交換、APP 資料串接端口(PHP-base API)、內部管理 Dashboard(儀表板)。並且定期將各子伺服器裡的 MongoDB 進行整合備份。其中為了使不同展區的資料可以快速的存取,利用 Redis 在記憶體中建構輕量化的資料儲存結構,供子伺服器群有一個資料共享緩衝的空間。子伺服器主要負責互動裝置資料交換、搜集、備份與監控,利用代理人(Agent, Socket. IO)提供裝置與裝置間即時溝通的管道,並以 MongoDB 進行快速的資料儲存與共享,同時代理人也可以即時處理來自主要伺服器的請求,如針對場域中的使用者進行訊息推播,進一步將資訊整合至 APP 內。

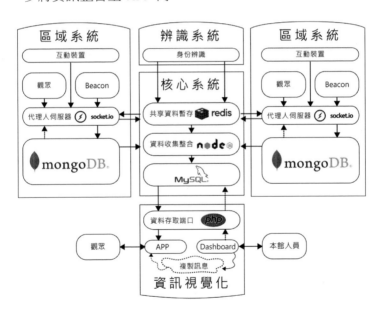

圖 1 「虛實整合參觀民眾行為系統」(簡稱 OOVBS) 整體架構

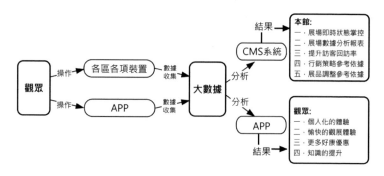

圖 2 參觀者行為數據收集流程及應用

三、如何虛實整合？紀錄？與追蹤

在這麼寬廣的特展中，有那麼多種不同的展示媒體，然而互動展示在博物館中所扮演的角色到底為何？而這些展示媒體是不是有助於使用者學習？是不是更容易讓使用者正確地吸收到相關的科學知識？這些問題常是策展人，想知道的答案。因為，有效的資訊設計（information design），不僅能引發使用者的興趣，更影響他們的行為與學習（林彥銘，2004）。OOVBS 以「人」的觀察為分析架構，並以資訊溝通的角度進行研究，透過新興技術，打破過往以傳統的發問卷或是跟蹤法的方式，來了解參觀者的參觀行為，再進一步分析其對展示內容的認知、理解、需求與學習成效等。其次，就使用行為，整理出展場中所陳設展點的資訊呈現方式及內容加以研究，進而改善，以期建立良好、有用的虛實整合展示設計模式。

但要如何「虛」「實」溝通？整合現場展示單元與隨展 App，來進行資料探勘，藉此了解參觀行為及學習軌跡，

因為對於大多數民眾而言，「參觀展示」是來博物館最主要的任務，因此怎麼參觀？人（參觀者）與物（展品）發生了什麼互動？是策展人最想知道的。展示內容之設計與展示說明之呈現方式，都對觀眾的學習有很大的影響，因此，分析與探討是必須且重要的，如何虛實整合？紀錄？與追蹤參觀的「行為」，而不單純只是記錄「到」、「有碰展品」，以下就經驗和各位分享。

（一）Beacon 的應用

Beacon 是一種低功耗藍芽技術的近場感知技術，中文名為「燈塔」，「信標」。在該系統中，運行在智能手機、平板電腦、可穿戴或其他計算設備上的應用，可以對 Beacon 設備發出的信號進行響應。Beacon 設備是一種小巧而廉價的實體設備，使用者可以將其放置在某些場所，向處於一定距離之內的「響應設備」發送信息（李超，2015）。簡言之，beacon 就像是一個不停地在廣播訊號的燈塔，當手機進入到燈塔照射的範圍內，beacon 就會發送一串代碼給手機，手機的 App 偵測到代碼後便會觸發一連串的動作，也許是從雲端下載資訊，也可能是開啟其他 App 或連動裝置。之期多聚焦在零售業的消費者推播應用，可以帶來促銷商機。美國第三大超市 TARGET 就利用 beacon 技術實現了超市內的位置服務，使用者只需預先通過 Target App 添加自己的購物清單，到達超市後 App 就會顯示出一張導購的地圖，上面標記了清單中每件商品的位置，商家額外推薦購置的產品位置也會同時顯示在這張地圖上。這個功能既使顧客的購物過程更加高效，也成為商家優惠和促銷資訊的宣傳手段，可謂一舉兩得（于暉、張玉翠，2015）。

近年來，隨著物聯網的發展浪潮，室內定位技術有了更多元的應用場所，例如：博物館、美術館、圖書館及遊

樂場等的諸多服務，都嘗試以 beacon 感知技術為基礎來形成大數據，通過大數據分析技術來規劃、設計或調整各項設施，以期符合民眾的需求，包括：智慧導覽系統，快速找書服務及遊樂設施等候流量分析等等，前述的應用案例（如于暉、張玉翠，2015；石奕，2015；李超，2015；黃悅深、劉敏，2015）文中所載。本特展在展示廳內佈建 beacon，並且與隨展 APP、大數據平臺系統進行整合，透過 beacon 設備獲取參觀民眾所在位置後，通過隨展 App 向其推送鄰近的互動單元，讓我們能夠更精準地掌握觀眾的行為模式，而觀眾可以據此安排更適合自己的參觀路線。

（二）發展合適的常態行為量表

　　林彥銘（2004）於互動式多媒體展示研究以國立自然科學博物館為例一文中指出，評量展示效果最好用的方法中，其中有一種方式是為觀察觀眾行為，在展示廳內追蹤觀眾的行進路線、觀看的展示品和花費時間等，稱之為行為觀察法，在博物館的觀眾研究上多採非參與式觀察法，在不干擾觀眾參觀的前提之下，派觀察員追蹤觀察觀眾在展示廳的行為，並以量表紀錄，如參觀動線、觀看的展示和停留時間等。本特展因為已經佈建軟硬體並不需要派觀察員去追蹤，但還是需要一份行為觀察表，幫助電腦系統紀錄，也提供程式設計人員演算的邏輯，因此筆者參考 Stephen Bitgood（1994）之行為觀察表為基礎，整理出適合本特展使用之觀察表，列出四個常態行為指標分別為（1）閱讀程度：是否正確回答展示內容相關問題、（2）涉入程度：來到展示單元前參與的時間、（3）操作狀況：正確操作展示單元完成任務及（4）討論內容：分享參與展示的經驗於臉書或其他社群網站，其定義見表 1。

表 1 轉換 Stephen Bitgood(1994) 行為測量指標所設計之觀察指標，筆者自行整理

指標 定義 分類	閱讀程度	涉入程度	操作狀況	討論內容
人為觀察 (Stephen Bitgood)	閱讀 / 不閱讀	專心 / 不專心	謹慎 / 亂按	主題 / 無關
程式判讀語法 （本系統轉換）	回答正確 / 不正確 展示內容問題	秒數長短	正確完成 / 未完成	分享參與展示的經驗於臉書或其他社群網站

（三）進行互動展示行為指標分類

本特展一共有 6 個展示分區，56 個單元，1 個小劇場，5 支影片，11 個多媒體互動單元。多媒體互動單元的展示內容與目標係依據本特展的展示規劃書所編寫及設計，再檢視互動的方式及欲達成的學習成效，進行參觀行為程度指標分類，而每個指標行為設定給分三等級表（LEVEL），依據參觀行為程度高 - 中 - 低，分別給予 3-2-1 分，此等級（LEVEL）給分標準同時也提供互動軟體的程式設計來執行判斷「節點」（見圖 3），參觀民眾只要參與互動，OOVBS 即啟動程式並記錄參觀者的學習軌跡。本特展展示分區、各互動單元展示內容、目標及等級給分表分別見表 2 及表 3。

表 2 本特展展示分區及展示面向

項次	展示分區	展示面向
1	A 區 : 現在就是未來	工業 1.0-4.0 對人類的影響
2	B 區 :0 與 1 顛覆世界	認識電腦產業發展及技術的演進
3	C 區 : 天涯若比鄰	了解網路從有線、無線到無限的發展

4	D 區：跨界「物」「語」	探討什麼是物聯網，物聯網的基本架構及關鍵技術
5	E 區：智慧城市	智慧城市，食衣住行育樂，物聯世界大體驗
6	F 區：體驗 IoT 的力量	思考物聯網帶給我們更便利的生活，但卻可能侵犯隱私？當機器人開始和人類共存時，你會信任誰？

B 區:0 與 1 顛覆世界

表 3 本特展互動單元展示內容、目標及等級給分

OOVBS 評量指標 (Stephen Bitgood(1994)	展示內容與目標	對應互動展示單元	單元數	等級 (LEVEL) 給分標準	最高總分
閱讀	1、引導了解電腦網路與我們生活的關係。你的日常生活有哪些部分與這個議題相關。 2、認識電腦、網際網路發展相關技術、物聯網架構與發展。	1. 物聯網小學堂 2. 認識感知層 -App 語音導覽	2	1 級：一題都沒答對 (聽) 2 級：答對 (聽) 一半題數 3 級：完全 (聽) 答對	6
涉入	認識電腦發展史與網際網路技術的演進。	1. 挑戰二進位 2. 動手來組智慧手機	2	1 級 :30 秒 2 級 :60 秒 3 級 :90 秒	6

OOVBS 評量指標 (Stephen Bitgood(1994)	展示內容與目標	對應互動 展示單元	單元數	等級 (LEVEL) 給分標準	最高 總分
操作	1、「智慧城市」是體驗物聯網應用的重要場域。本特展模擬了當智慧型裝置深入一般民眾生活後，食衣住行育樂等常態行為上的改變，我們該如何面對智慧化的時代。 2、電腦網路科技的一日千里如何改變人類生活的面貌，從有線，無線到無限。 3、介紹物聯網的關鍵技術，雲端計算及大數據如何預測及分析。	1.認識物聯網的架構 2. Maker網路線 3.體驗智慧車 4.騎車測健康（智慧醫療） 5.來當物流士 6.虛擬購物樂	6	1級:啟動單元 2級:操作一半 3級:操作完成	18
討論	1、科技的發展如何影響物聯網及工業4.0。 2、調整自我觀點，了解科技帶給人類與社會的影響。引導體認日常生活中科技帶給人類的影響。	在社群網站上分享參觀經驗，拍照或寫心得	1	1級:1-2 則 2級:3-4 則 3級:5-7 則	3

（四）達成物 - 聯 - 網的人機介面

　　為使民眾參觀本特展的行為與其資料可以正確地對應到資料庫所設計的欄位，本特展在人機介面上使用隨展App，然後展示互動單元利用網路連線到伺服主機，同時實

體的展示互動單元以程式判斷行為指標節點，再以佈建的
73 個 beacon，偵測參觀者的位置，進行「虛」「實」（Online
to Onsite）互動，達成物 - 聯 - 網的人機介面的串連與整合。
參觀者下載本特展的 App 後開始參觀本特展，當靠近被記
錄的單元時，beacon 會啟動使用者的 App 並對應到該單元，
然後產生一個條碼或者數字（通稱為 code），參觀者就到實
體的展示互動機台上掃描條碼（通稱為 code）之後，完成辨
識配對（pairing code）認證後，開始進行體驗並學習。

肆 . 觀眾行為分析與探討

資料本身並不具意義，唯有在經過分析後才會產生意
義。而資料採集對許多組織而言多半是被動的，當問題發
生時，相關部門才會開始分析資料，藉此判斷、修正問題、
制定措施以防問題再度發生（張孝兵，2016）。本特展正
是希望從被動變為主動，透過 beacon 技術及在互動軟體中
嵌入的程式節點，以自動化的規則去擷取資料，讓資料變
為有用的資訊。本特展透過 OOVBS 於每開館日自動擷取所
有參觀者當下的資料及行為，系統會產出 EXCEL 的報表，
以登入時間標示參觀者參與展示之後，其行為指標的程度
等級（LEVEL）。OOVBS 從 106 年 11 月 10 日（本特展開展
日）-107 年 2 月 28 日共收集了 14,960 筆資料，將系統資
料下載後以 SPSS for Windows 18.0 統計軟體為分析工具，
使用描述性統計分析包括：基本資料、意見回饋：滿意度及
最喜歡單元及參觀行為綜合表現，以下進行資料的初步探
討與說明。

一、參觀民眾基本資料及意見回饋

由表 4 發現，本特展參觀民眾，女性（7,520 人）略
多於男性（7,440 人）。年齡層方面，以 10 歲以上 - 未滿
13 歲（25.1%），之後依序為 25 歲以上 - 未滿 35 歲（21.9%）、

19 歲以上 - 未滿 25 歲（20.9%），教育程度方面以大學（專）（52.4%）最多，職業以學生最多為 63.1%。意見回饋上，98.4% 的參觀民眾對本特展抱持滿意的態度（57.2% 非常滿意，41.2% 滿意），進一步看參觀民眾最喜歡哪一個互動單元，「Maker 網路線」32.6% 位居第一，其次為使用 VR 虛擬實境技術所設計的互動單元「體驗智慧車」（22.5%）及「虛擬購物樂」（14.4%），見表 5。

B 區 : 天涯若比鄰 - 體現創客精神的「Maker 網路線」，為最受歡迎展示單元

表 4 參觀民眾基本資料 (n=14,960)

變數	題 項	樣本數	百分比 (%)
性別	男	7,440	49.7
	女	7,520	50.3
年齡	10 歲以上 - 未滿 13 歲	3,760	25.1
	13 歲以上 - 未滿 16 歲	560	3.7
	16 歲以上 - 未滿 19 歲	880	5.9
	19 歲以上 - 未滿 25 歲	3,120	20.9
	25 歲以上 - 未滿 35 歲	3,280	21.9
	35 歲以上 - 未滿 45 歲	2,960	19.8
	45 歲以上 - 未滿 55 歲	320	2.1
	55 歲以上 - 未滿 65 歲	80	0.5
	65 歲以上	0	0
教育程度	國小以下	3,600	24.1
	國中	880	5.9
	高中職	1,280	8.6
	大學專	7,840	52.4
	研究所以上	1,360	9.1

職業	學生	9,440	63.1
	工	1,920	12.8
	商	960	6.4
	公	560	3.7
	教	560	3.7
	軍	320	2.1
	自由業	880	5.9
	無	320	2.1
	其它	0	0

表 5. 意見回饋 (n=14,960)

變數	題項	樣本數	百分比(%)
您對本特展的滿意度	非常滿意	8,560	57.2
	滿意	6,160	41.2
	普通	240	1.6
	不滿意	0	0
	非常不滿意	0	0
您對本特展哪一個展示單元最滿意	挑戰二進位	1,920	12.8
	Maker 網路線	4,880	32.6
	認識物聯網的架構	320	2.1
	動手來組智慧手機	160	1.1
	認識感知層 -App 語音導覽	160	1.1
	物聯網小學堂	80	0.5
	體驗智慧車	3,360	22.5
	騎車測健康	1,600	10.7
	來當物流士	320	2.1
	虛擬購物樂	2,160	14.4

二、參觀行為綜合表現

參觀行為的綜合表現部分，OOVBS 紀錄參觀時間及參觀行為程度 (LEVEL)，依據表 3 的架構，參觀行為程度以互動單元數乘上等級分來計算，等級分則依據參與該單元程度區分為高 - 中 - 低，分別給予 3-2-1 分，本系統一共有 11 個單元參與紀錄，算式如下 2X3+2X3+6X3+1X3=33，因

此參觀行為程度最高為 33 分，最低為 11 分，再依據級距分列「低參與」（1-11 分）、「中參與」（11 以上 -22 分）及「高參與」（22 分以上 -33 分）。本特展全體總參觀時間平均為 92 分鐘，依據 beacon 所記錄的資料平均每個單元停駐的時間為 8.36 分鐘，參觀軌跡並無特定的動線，參觀行為程度等級依據 14,960 筆資料統計後，最低為 15 分，最高 29 分，全體平均為 22.35 分，落在「高參與」程度，無「低參與」等級，顯示參觀民眾在參觀本特展時，都願意嘗試親近展示，參與互動，了解展示內容，並不只是隨意按鈕或轉動展品。

而在四個評量指標的參觀行為程度部分，由於配合的展示單元數量不同，無法互相比較 僅就參觀行為程度高低進行落點說明。見表 6。在閱讀、涉入及討論程度上都分列於「高參與」，（平均分數 4.44、4.30 及 2.26），其中閱讀指標的評量是以「回答展示內容相關問題」答「對」數來給分，從「高參與」的結果看來，參觀民眾確實進行了展示內容的知識閱讀，而在操作狀況指標上則為「中參與」（平均分數 11.35），其判斷等級分數是以「正確操作展示單元完成任務」為基準，本特展有兩個單元使用 VR 虛擬實境來進行互動，從現場觀察發現，不少參觀民眾受限身體因素（頭暈、噁心等），導致無法操作完畢，影響參與程度的評量，這個結果提供科工館未來在 VR 虛擬實境展示手法設計上的修正方向，例如：分齡設計互動程度、或者軟體程式上的改善等，以期更符合觀眾需求。

為了解參觀民眾的參與程度的高低是否受「年齡」及「教育程度」的影響，依據資料進行卡方分析統計，但因無「低參與」等級，不符合卡方檢定各細格期望次數不得小於 5 的規定，為避免分析結果有明顯偏差，因此以細格

表 6 個別評量指標參觀行為程度表

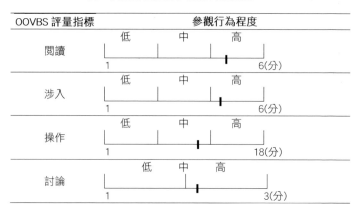

備註：本表僅作各項指標參觀行為程度落點區間示意說明

合併法將「年齡」及「教育程度」進行資料合併。表 7 及表 8 為參觀民眾的參與程度與「年齡」與「教育程度」二個變項的 2X2 列聯表。在年齡方面經 Person Chi-Square（$\chi 2$）值及獨立性卡方檢定結果，$\chi 2$ 值等於 23.759，df=1，p=.000<.05，達到顯著的水準，而在教育程度 $\chi 2$ 值等於 6.706，df=1，p=.010<.05，也達到顯著，表示參觀民眾的參與程度的高低受「年齡」及「教育程度」的影響並存在關聯性。OOVBS 為本特展的一項創新設計概念，也是博物館少見以科技的方式來記錄參觀民眾的參觀行為，啟用迄今逾 4 個月，未來也會逐年延伸到科工館各個常設展示廳當中，相信定會逐漸形成大量的資料，而其中資料種類的繁雜及資料的真假判斷，則需要更多的技術及經驗來進行資料探勘，包括：分類、估計、預測、相關性分組或關聯規則，本篇文章先行進行部分資料的初步探討。

表 7 參觀行為程度與年齡次數統計及卡方考驗（2*2 列聯分析表）

年　齡	參觀行為程度		(df)	（χ^2）
	中參與	高參與		
10 歲以上 - 未滿 25 歲	4,480	3,840		
25 歲以上 -65 歲以上	3,840	2,800	1	23.759
合 計	8,320	6,640		

表 8 參觀行為程度與教育程度次數統計及卡方考驗（2*2 列聯分析表）

教育程度	參觀行為程度		(df)	（χ^2）
	中參與	高參與		
國小 - 高中（職）	3,280	2,480		
大學（專）- 研究所	5,040	4,160	1	6.706
合 計	8,320	6,640		

伍 . 結論

　　本特展除了是智慧博物館四年計畫中科工館的一項子計畫，同時也是科工館 20 周年的館慶展，代表著承先啟後，因此，筆者特別以這個特展為實作場域，在規劃設計製作展示的同時，也把參觀行為資料庫的架構一併整合到展覽當中，提出一個虛實整合的智慧博物館展示模式，透過實際執行，建立該特展的觀眾資料庫，從中紀錄與評量觀眾參觀行為及學習模式。人類一方面在不斷地創造資料，另一方面又可以利用這些資料來創造未來。每天創造的資料可能是個體的、局部的，而獲得的這些資料則是宏觀的、

全域的，通過分析研究，將會趨近事物的本原（張嵐，2013）。隨著時代的改變，網際網路發展迅速，網路資料量也逐日增加，各領域資料也開始複雜化，如何從這些大量資料中，擷取出有用資訊，加以整理，挖掘出新的商業模式與機會，是新世紀技術發展的一項重要的課題。

博物館的展示及教育活動一直以來就是創新典範的代表，未來的博物館更要朝向智慧化管理，為不同年齡、不同職業的人量身訂做個性化的博物館展示活動。博物館能把自己目標觀眾的偏好準確定位，然後推送各種適合的文化活動，讓他們除了看展覽，還能參與到博物館的創新文化活動中來，依靠大數據支撐，能把一家、一個地區、甚至全國的博物館觀眾人群的特點、偏好、目的、喜歡的體驗方式都抓取到，從而幫助博物館做出前瞻性的決策，例如：如何去組織活動、如何取策劃觀眾喜歡的展示、如何去精準行銷進而進行研究，以及對未來市場做出預先的判斷（李林，2016）。而這也是物聯網世界的最終目的 - 期望透過感測元件所收集到的資料，進行數據分析，最終做到預測進而精準行銷與決策。

近年來大數據與其相關應用已經成為電子商務產業的顯學，大數據運用對於零售業而言，有著破壞性創新的效果（黃琦芮，2015）。相信博物館定能借鏡其他產業的成功模式，發展適合自己的智慧化服務。本文就科工館開發的「虛實整合參觀民眾行為系統」進行設計實作分享及目前所收集到的參觀資料進行初探，希望藉由這項案例的建置與實施，發現更多博物館可應用範圍、服務模式與效用。僅以此篇拋磚引玉，提供給博物館工作者一項新的科技評量博物館各項服務績效的觀點。

第九夢
「印象‧印像」印刷技術特展

解夢密碼：國際策展‧跨國文化‧和時間賽跑

I. 邁向國際，共同策展

在規劃設計過了常設展、特展、巡迴展（本島及離島）後，對一位策展人而言，還有什麼展示型態是他想要挑戰的，不用說一定是國際共同策展。2013 年藉由印刷文物特展，我和澳門科學館，有了結緣的機會，雙方以原本的印刷展展示架構、內容及本館藏品為主軸，再加入澳門在地的印刷元素，文化產品，規劃設計「印象‧印像」印刷技術特展。展覽在兩方的策展團隊與時間賽跑下，於 2015 年的 6 月如期在澳門科學館展出，是一次相當成功跨國文化交流。

「印象‧印像」印刷技術特展

II. 跨國的文化交流：「訴心相印－印刷文物特展」國際巡迴策展紀實

透過巡迴展或博物館間特定文物相互的借展，使得在不同地區的民眾可以欣賞到各館的珍貴文物典藏，也使得博物館的能見度和展覽的吸引力明顯提升與增長，這種國際交流展或者共同策展一直以來在博物館界都蔚為風氣。本文特別以國立科學工藝博物館與澳門科學館共同合作的「訴心相印－印刷文物特展」國際巡迴策展經驗為例，探討雙方如何合作策展、兩館分工模式、科工館如何以 2013 年 12 月展出的「訴心相印－印刷文物特展」為展示架構基礎再加入澳門在地特色，讓「印刷」主題及文物，透過轉化與詮釋展現其價值，成為博物館的宣傳大使。

壹. 合作背景說明

國立科學工藝博物館（以下簡稱科工館）鑒於臺灣的印刷技術發展因科技變遷的衝擊，面臨了重大的轉型。為具體呈現印刷科技在臺灣的發展歷史及對於教育、文化、生活的貢獻，自 1998 年起進行以「印刷科技」為主題的文物蒐藏計畫。歷經多年努力，與印刷主題相關的典藏文物已逾 200 件，累積了豐厚的研究基礎，並於 2013 年 12 月在科工館辦理了「訴心相印－印刷文物特展」。

該特展於科工館展出期間深受許多民眾歡迎，引起廣大的迴響，透過展示讓大眾了解到印刷是非常生活化的，除了空氣和水無法印刷外，我們雙眼所及，我們日常生活中的食衣住行，其實都脫離不了印刷品，也引起澳門科學館合作的興趣，有了前一次「鎖具特展」的合作經驗，這次的印刷展馬上即成立跨館際的專業策展團隊，開始規劃「印刷文物特展」（以下簡稱本特展）。此次臺、澳兩館合

辦展覽的經驗，使科工館策展團隊再次經歷完整籌辦國際
交流展的作業流程，並對跨國展示的協商合作、分工模式
有更深入的了解。本文將紀錄籌辦此展的過程與經驗，以
傳承及分享策展實務，並作為各友館從事籌辦國際交流展
示之參考。

貳 . 合作模式與定位

一、雙方分工

本特展在展示設計規劃及內容定位與臺灣展出的分區
脈絡是相同的，由科工館提供印刷相關研究、展示內容、
臺灣展出時設計圖說、圖文設計、科教活動、影片、文物等，
澳門科學館則負責展場設計製作、在地特色的展示內容及
開發新的互動展示單元，兩館合作分工如下表：

表 1 策展團隊分工表

辦理單位	策展團隊	工作內容
國立科學工藝博物館	展示籌備小組	1. 展示各項工作統籌 2. 展示內容暨借展文物審視整理 3. 協助展示製作 4. 辦理文物包裝運輸及進出口報關作業 5. 導覽教育訓練
	佈卸展工作小組	辦理文物開箱點驗及佈卸展工作
澳門科學館	展示籌備小組	1. 展示各項工作統籌 2. 辦理展場設計製作案 3. 協助文物開裝箱點驗及佈卸展工作 4. 展場營運管理
	公關行銷小組	1. 文宣品設計印製及宣傳作業 2. 籌辦開幕活動
	教育活動小組	規劃辦理展覽教育訓練、動手做活動及演講

二、合作模式

　　確認展示規劃方向、展示內容及雙方分工後，兩館即進行討論、簽訂合作協議書，以本特展為例，協議書內容包含：(1)展示基本陳述；(2)展示需求；(3)雙方分工(4)展品保險；(5)展品包裝；(6)展品運輸；(7)展場管理；(8)宣傳及開幕式；(9)智慧財產權的規範；(10)經費安排；(11)修改、中止合約及仲裁法律等。科工館主要是提供展示內容及展出文物，澳門科學館則負責展場製作及負擔借展經費（包括展示權利金、文物運輸保險費用及科工館工作人員佈卸展差旅費）。透過合作協議書的簽訂作為協商及規範，以釐清兩館辦理本次國際策展交流相關工作之責任歸屬。

表 2 重點工作時程表

項次	重 點 工 作
1	確認雙方合作意向
2	成立兩館策展團隊
3	討論合作協議書
4	簽訂合作協議書
5	(1) 提供展示資料 (2) 討論展示設計 (3) 確認平面配置及視覺設計
7	科工館文物包裝運輸採購發包
6	澳門科學館展場製作
8	文物包裝裝箱運輸至澳門
9	澳門科學館辦理佈展工作
10	印刷文物特展開幕
11	推出二期展示
12	演講活動交流
13	印刷文物特展閉幕
14	澳門科學館辦理卸展工作
15	文物包裝裝箱運抵臺灣

參 . 展示規劃與設計

　　文物社會價值的運用可以使大眾透過對文物的認識對自身與社會產生認同感，這樣的認同感來自於參觀者與物件相互產生的連結關係，而文物社會價值的傳遞可以透過教育、展示等功能，博物館的存在有助於大眾瞭解社會的本質，在今日的社會中，博物館更可以透過博物館功能的發揮，達到社群之間的互相瞭解（何慧怡，2012）。而展示正可以達到這樣的相互了解，因為「它」是博物館與外界最主要的溝通橋樑，也是博物館呈現專業的最佳平台，博物館的蒐藏也需藉由展示的詮釋與轉化才得以彰顯（吳佩修，2007）。

　　科工館在印刷主題上的的蒐藏與研究已有相當的基礎，全館蒐藏的印刷文物，件件都標誌著人類文明發展的印記，例如：風行銅模，為中文正體字的標準模板、臺灣第一批愛國獎券的銅凹版等，在 2013 年 12 月順利推出主題展示，更於 2014-2015 年透過國際合作策展的方式將本特展巡迴至澳門科學館展出。以下針對本特展的規劃設計構想、文物的選件進行說明。

　　一、展示核心理念

　　對大多數的人而言，印刷最直觀的印象就是「書」，因此身為策展人的筆者，在細讀與整理科工館的研究與蒐藏後，決定以「一本書的旅程」詮釋展示主軸。打開一本書，會發現書上有什麼呢？有字、有圖，仔細再看，能看出編輯者如何排版這些字與圖，讓書變得容易閱讀，同時兼具美觀，之後送到印刷廠印製再裝訂。所以這次的展示，正是透過書的「故事」來呈現印刷技術所蘊含的科學與技術。

　　確定以一本書作為展示故事線後，將「故事主軸」劃分為三個核心概念：即「T・E・A」，分別為「Technology-

科技」：探索印刷技術的科學與科技、「Entertainment- 娛樂」：動手體驗做一本書的過程、「Art- 藝術」：欣賞不同印刷技藝所呈現的印品風采與美感，透過這三個核心概念讓民眾更容易了解與親近展示內容，探索印刷產業的發展，呈現它在過去、現在、未來不同的風貌，而科工館所收藏的文物為見證臺灣印刷工業發展與技術面向的最佳佐證。

本特展期望達成以下三個效益：(1) 藉由展出館藏印刷文物以及各式印刷成品的展出，提升展覽對於觀眾之吸引力；(2) 以深入淺出的方式，引介印刷技術之相關知識以及目前在工業上的最新發展，使觀眾能認識與理解與日常生活密切相關的科技；(3) 以主題搭配時間軸的故事線呈現，配合生動有趣的展示手法，引介印刷科技的發展在時代更迭下與社會所發生的互動，引導觀眾思考與發掘出科技與社會互動的種種面向。

二、展示架構與主題定位

整個展示概分為 6 個區域，從 A 區「一本書的旅程」開始，細數科工館如何開始與印刷文物結緣，透過蒐藏與研究，把梳出臺灣印刷產業的發展脈絡；B 區「臺灣印象」以時間軸為故事線，介紹臺灣印刷產業的過去現在與未來；C 區「技術印記」介紹「字」、「圖」、「版」、「印」、「裝」，以技術主題的方式探討印刷技術的發展，並以館藏文物介紹印刷基本工序。在 D 區「印藝良品」將印刷成品分為憑證、傳播、教育、藝術、廣告等 5 類展出與介紹，回顧過去、把握現在、展望未來。在 E 區「復刻記憶~印樂園」以及 F 區「心心相印」兩個展區，要讓民眾了解傳統印刷與電腦化印刷作業的不同，同時介紹帶起第三次工業革命關鍵之鑰的 3D 列印技術，引發參觀民眾思考印刷的下一步。

為了呼應一本書的旅程，本特展當中設計了「印象手

札」體驗活動，讓參觀民眾可以動手操作現場的小道具及科工館的館藏印刷機，體驗製作一本書的過程，體驗方式包括蓋章、拓圖、撿字、排版、壓印與裝訂，親自手作(Hand Made)一本專屬自己的手冊，透過親身參與，真的認識「一本書」的「旅程」。讓展覽不在只是用看的，還帶有一些屬於自己的獎勵，帶走一些屬於自己創作的東西，同時更可親手觸摸到文物，讓參觀民眾與博物館展示、館藏有更緊密的連結，創造民眾「參觀前的期待」、「參觀時的感動」、「參觀後的回憶」。

圖 1 展示架構圖以「一本書的旅程」為主軸

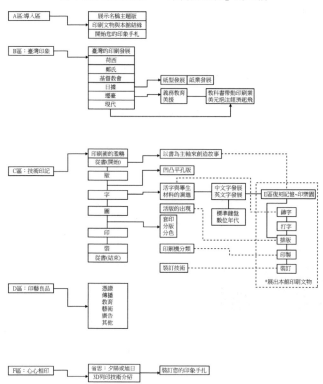

三、文物的選擇與配置

　　博物館文物是博物館經過有目的與規劃之下，有系統的蒐藏成果。文物為塑造博物館的重要因素，為博物館訂定發展方向與特色，博物館蒐藏的形成，就是為博物館工作所做的準備。本特展的文物選擇及規劃係依據展示架構（見圖2）進行安排。文物典藏端賴史料研究的方向指引，史料研究必須有文物的佐證，透過科技文脈與展示觀點方能讓文物達到與外界溝通的效果。在科工館長期的辛勤耕耘下，印刷文物的典藏藍圖具備價值及基礎，因此，本特展在「一本書的旅程」的展示架構下，利用「Ｔ・Ｅ・Ａ」的核心概念來發展，充分顯現文物存在的價值，進而延伸至每一項文物與不同時空的關係，凸顯其生命力。

　　本特展的文物選擇在 A 區「一本書的旅程」、C 區「技術印記」及 E 區「復刻記憶－印樂園」以技術主題的方式探討印刷技術的發展，因此挑選館藏物件介紹印刷基本工序。文物的規劃與安排是先將科工館的文物依據其「功能」進行分類，搭配展示架構中所提出的「字」、「圖」、「版」、「印」、「裝」選擇出相襯的文物搭配做展出，更重要的是，許多文物在當時都拍下了珍貴的「機器工作」時的影片，

印象手札是導覽手冊也是活動手冊，參觀民眾依據手冊上的指示，運用展場設計的小道具及科工館的館藏印刷機體驗製作一本書的過程。體驗方式包括：蓋印章、拓圖樣、印春聯、學檢字、選文物、來排版、壓封面以及練裝訂

表 3 文物規劃配置架構圖

主軸	文物規劃配置脈絡			科工館藏品
一本書的旅程	字	活字怎麼做	銅模雕刻機	銅模雕刻機、鋅凹版
			銅模	正楷六號銅模、銅模櫃、雕刻銅模、活動銅模、風行鑄字社招牌
			鑄字	鑄型手搖式鑄字機自動鑄字機
			切字工具	鉛字尾刨床、鉛字檢測儀、框邊修切機手工切鉛字機、鉛線切刀
			鉛字	風行鉛字、初號鉛字、新初號鉛字
			鉛字架	鉛字架
		中文字	中文打字機	中文打字機
			中文照相打字機	照相打字機、MC-6 照相打字機專用字盤全套、MC-P-3 電動照相打字機
		英文字	英文打字機	英文打字機
	版	凸板	活版	木製手盒、排版樣本、民眾日報頭版版模、凸版印刷機拼版台-拼版工具、燙金機
			鋅版	鋅版
			樹脂板	樹脂凸版、複寫紙印刷成品-樹脂版
		凹版		銅凹版
		石板		電動石版印刷機石版
		平板		預塗感光版
		孔版		謄寫印刷機、高硫公司堀井謄寫板、排版房設備
	圖	套印		愛國獎券手繪原稿及印刷前排版打樣等初稿、愛國獎券樣張乙批
		防偽		
	印	印前製版		濕式製版機
		打樣		打樣機、 凸版打樣機
		印刷		印刷機、桌上型平版印刷機、五開活版印刷機、電動圓盤機
	裝	壓平		精裝書壓背脊機、騎馬釘壓平機、平裝書上下夾板
		裁切		軋型刀模、裁紙機、裁紙工具、工作檯、電動裁紙機
	書—引申印刷品	憑證/傳播/教育/藝術/廣告		愛國獎券樣張、圖案印章、報紙底片、電視周刊、台灣省政府教育廳台灣書店標誌牌

重現老機器的風采以增加展示內容的深度。而在 B 區「臺灣印象」及 D 區「印藝良品」的部分，則透過商借蒐藏家的文物來補足展示內容。本特展文物規劃佈局架構圖（見表3）。

肆.國際策展工作實務

一、同中求異的策展

本特展雖然在展示設計規劃及內容定位與臺灣展出的分區脈絡是相同的，也複製了在科工館辦理的「印象手札」活動，增加民眾的參與感，但因澳門曾經過西方文化洗禮，無論是教育或是設計概念的養成，都有著與臺灣不同的切入觀點，因此於本特展合作之初澳門科學館即表示，會有第二期展示及自製互動裝置的部分。其中第二期展示與澳門文化局及澳門中央圖書館合作，以澳門印刷業歷史為主，以「澳門第一」、「澳門唯一」的珍貴文物為主軸，展現在地化的部分。而自製互動裝置的部分由該館同仁自製「執字粒」，也就是撿字接龍遊戲。

澳門科學館「印刷文物特展」二期展示現場
澳門科學館自製互動裝置「執字粒」

文化交流與磨合

澳門印刷工業的發展與臺灣類似甚至比臺灣早，同樣

是由教會及殖民時期的葡萄牙人所帶來的機器開啟印製的技術，就技術原理而言都是相同的。不過，跨國合作策展會因各國不同教育體制及文化養成，在詮釋展示內涵及工作態度上，需要更多時間去磨合與溝通，例如雙方對色彩的認知，對工作期程的安排等等。

二、文物包裝與運輸

本特展科工館共提供了 54 件珍貴的館藏印刷文物，飄洋過海到澳門，總重量超過 4.5 公噸，除了文物特別重之外，許多機械設備都附帶零件，再加上澳門科學館特展廳的地板為架高地板，部分地板下方藏有配電槽，如使用堆高機來搬運文物，恐施力不平均壓壞地板，因此經多次討論決定以「人力」搬運的方式來處理。綜上所述，研擬出本次文物包裝與運輸的相關需求，再依據政府採購法委託專業的廠商協助處理相關事宜，包括運送、包裝、進出口報關、相關保險（牆對牆藝術品綜合保險）、文物上架及佈卸展人力（含租借機具等）。工作項目摘要如下表：

表 4 文物包裝運輸工作項目

項次	工作項目	內　容　說　明
1	點交及歸還科工館文物	科工館文物點交及歸還工作。
2	科工館文物包拆裝、運輸（陸運及海運）、辦理報關及保險事宜	(1) 文物自收（還）件開始之包裝、拆裝、運輸，所需包裝材料、人力及大型機具的租用。 (2) 自收件日起至還件須投保所有文物零自負額之牆對牆 (wall to wall) 藝術品綜合保險。 (3) 辦理相關報關手續及相關規費繳納。 (4) 收（還）件之倉儲工作及空箱處理，包括澳門文物空箱存倉地點。 (5) 本案國外以海運運輸相關展品、設備及文宣品等。 (6) 全程紀錄文物狀況。
3	國外佈、卸展工作及工作人員	專業人力進行佈卸展。

本次的移展工作為科工館第一次「重量級」的館藏文物移展至海外，因此在臺灣縝密周延的前置作業相當重要，方能於在澳門科學館佈展順利掌握時程

於澳門科學館展場配置圖及展場上標示對應文物箱體號碼，加速搬運的速度

四、佈卸展工作實務

應預先評估：(1) 包裝箱的尺寸及數量；(2) 展場現況；(3) 佈展程序，在展場製作工程現況空間足夠之前題下，建

議可將展品運送至展場內置放，並依佈展程序進行開箱點
驗的工作，如此可減少展品因再次搬運增生風險。於辦理
開裝箱點驗及佈卸展工作前，工作團隊應先召開工作會議，
說明工作時程及注意事項，並介紹工作人員相互認識及釐
清工作職責。

表 5 工作內容一覽表

佈 展	
1	展場現況檢視、佈展前工作會議、動線安全設施架設、文物櫃體定位
2	開箱點驗、文物定位、上架
3	文物整飭固定與清潔
4	文物整飭固定與清潔、教育訓練
5	開幕
卸 展	
1	展場現況檢視、卸展前工作會議、動線安全設施架設、物櫃體定位
2	文物下架、檢視與清潔、包裝入櫃固定
3	文物下架、檢視與清潔、包裝入櫃固定
4	點驗封箱
5	報關資料填具、點交上車至碼頭

印刷機是本次移展工作中最重的展品，當時丈量棧板尺寸時約有誤差，兩方策
展人員展現高度的機動性，立即在展場修正尺寸大小，使得文物順利佈展完成

伍. 結論與建議

面對文化疆界模糊流動、區域相互滲透串連，當代博

物館專業正在經歷一場全國際間的展示借貸，有著全球共通的標準化程序，然在與各博物館交涉的經驗中，卻也突顯了跨國介面間連動磨合的文化差異（楊翎，2010）。每一個特展之成因不同、背景皆異，合作方式雖企圖將巡迴展模式歸納出一個共同之模式，但還是會因案例不同而因地制宜，因此本篇文章，筆者就自身經驗探究合作機制、展覽架構、文物包裝運輸、策展團隊組成分工等議題，以及雙方如何在同一個「印刷」科學技術的議題下，在既有的科工館展示架構下，共同創造出同中求異的跨文化展示。

一、增進策展能力，加強巡迴展展示效益

本特展是科工館與澳門科學館的第二次合作，有了前次合作特展的經驗，這次雙方的合作更有默契，許多工作都提前作業，包括展場平面圖的確認、文物陳列位置、搬運動線及主視覺等等，雙方都經過超過 10 次以上的確認，縝密周延的前置作業加速在澳門科學館佈展搬運的作業期程。同時有因應不同地區的文化氛圍，本特展在既有的架構下，增加了澳門在地的印刷技術的特色，同中求異的共同策展概念，為雙方工作團隊增進豐富之國際交流展策展經驗與能力，加深兩國友誼，也為兩國文化交流奠定平台。隨著時代潮流變化，博物館經營手法也隨著改變，以非營利機構型態，經營博物館展出之「特展」，甚至因地制宜的巡迴展；國內博物館內人員，需更費心於此類型展覽，從中培養國際展覽策劃能力；而與國外交流。

二、跨文化的交流與串連，延伸文物價值

本特展將博物館文物經過有系統策劃及安排展示，除提供民眾認識了解印刷文物之外，也展現生活文化的演變。在教育及文化保存的作用上一定有其潛移默化的影響力，本特展的展出，顯現科工館有能力將文物加以活化展現並

提供參觀民眾認知學習或是體驗思考自己生活的一部分，有效利用文物搭起民眾與博物館的橋樑，讓民眾認識科工館具備的博物館專業及特色。藉由一個國際合作策展類似巡迴展的展出，使得在不同地區的民眾可以欣賞到，也使雙方都提高知名度，製造雙贏的局面，藉此建立起科工館與更多不同區域民眾溝通的橋梁，將科工館這個品牌走出臺灣向外擴展，促進國際文化交流，延伸文物的價值。

第十夢
氣候變遷展示廳更新計畫

解夢密碼：資源・支援・更新策略

I. 展示需要更新嗎？

很多人常會問？博物館的展示需要更新嗎？多久要更新？怎麼決定要更新？我的回答會是：當然要更新，以 5 年為期，至於怎麼做更新，策略上通常是以你有多少資源和支援，會決定更新的輻度。漢寶德先生曾提出：現代化展示的替換成為博物館的經常作業，也成為博物館的重點工作，現代化展示之壽命，以十年到十五年為準，就要更換了（漢寶德，2000）。

氣候變遷展示廳在 2010 年開館後，因為有企業的贊助分別在 2012 年及 2014 年進行了部分展示區域更新及全廳照明汰舊換新，而在 2015-2016 即將屆滿五年的時候，進行了一次大規模的更新。現代科學博物館的展示形態結合了新科技，故隨著科技的進步，科學博物館的展示不論是在內容或是手法呈現上，就必須適時更新，才能確保科學博物館的教育功能得以相對更有效的發揮。展示做為博物館變革與成長的指標，展示更新不啻是任重而道遠，更是博物館再生與成長的契機（張崇山，2002）。

II. 「氣候變遷」展示廳局部更新計畫

壹．更新緣起與依據

氣候變遷展示廳於 2010 年 8 月 8 日開幕，迄今開展約 5 年，參觀人數迄今已經超過百萬人次，而本廳也成為科工館最受歡迎的展示廳之一，透過問卷調查發現有 96.5% 的觀眾對該展示廳抱持滿意的態度，因此為讓民眾的參觀經驗更加豐富多樣，規劃在經費允許以及目前已建置好的單元現有狀況下進行擴充、升級及局部更新，妥善利用既有的資源再原本的展示架構下進行展廳單元的改變，期望在兼顧「效益延續」與「推廣普及」之基礎上作最好的發揮。

貳．更新目的

一、透過這部分展示單元升級與強化，增進民眾對於本展參觀方式的認識以及更強化其對氣候變遷的正確觀念。

二、提供民眾對本展更高的滿意度達以及更豐富多元的參觀經驗。

三、由科普的角度切入，並藉由創意的展示手法讓觀眾經由圖像、影片、聲音、肢體與展示主題及內容產生連結，有效強化展示教育效果。

參．更新總說明

氣候變遷中最明顯的影響 - 全球暖化中的三大指標：溫度、海平面、高山冰河與極地冰雪快速融化勾勒出展示主軸，由此說明影響氣候變遷的因素，了解氣候變遷下所衝擊出的連鎖反應，包括：糧食、生態、公共衛生、降雨、水資源等等，這個一直是該展示廳重要的展示架構及主軸，這次更新更著重在這三個指標的多媒體互動設計，以更多

元的展示方式讓民眾透過過觀察、比較及模擬的方式了解科學原理。因此重新設計製作五個新的多媒體互動展示單元。

此外，依據長期的觀眾研究調查的意見回饋，發現部分展品設計，需要改善及調整以期達到更好的展示效果，因此，歸納出6個舊有展示單元進行改善，包括：設備升級、機構元件重新設計安裝、感應裝置調整及圖文表板重新製作等。而在展示更新當中，另一個工作的重點，我稱之為「舊屋拉皮」，「整舊如新」因為展示廳在經過超過百萬人次的參訪後，既有的裝潢都會有汙損及破裂，重新油漆、更換板材及燈光汰換，是展示更新工作上相當重要的環節，能帶給參觀者煥然一新的感受。

更新工作總表

項次	主要更新工作	更新面向	欲達成效益
一	製作新的展示單元	重新製作5個新的互動單元，主要在加強說明影響氣候變遷最嚴重的全球暖化其三大指標的科學原理，包括：溫度上升、海平面上升及高山冰河與極地冰雪快速融化。	由科普的角度切入，並藉由創意的展示手法效強化展示教育效果。
二	改善舊有單元的效果	在改變展示內容架構及妥善運用原先的設備以及詮釋過的腳本進行修改。	提供更好的展示效果以期讓民眾有更豐富多元的參觀經驗。
三	裝修及圖文工作	整理展品、圖板及文創開發製作。	提供更好的展示效果。
四	機電工作	設備汰舊更新。	提供更好的展示效果。
五	結構安全補強	例行性安全檢查。	提供民眾安全的參觀環境。
六	展品高空作業清潔、所有機櫃及櫥窗清潔	整理展廳環境。	提昇參觀品質。

肆 . Before and After

	新增單元名稱	互動單元名稱
1	B-1 是天災？還是人禍？ - 米蘭科維奇玩轉地球	
2	B-5 溫室氣體的增溫效果 - 地球變熱了 ?!	
3	B-8 酸 . 鹼 . 鹽 ~ 改變中的海洋 - 溫鹽環流的奇幻旅程	
4	B-10 空調當機，白色警戒 - 冰的反照率比較	
5	D-6 水碳足跡 天降危機 ~ 搶救糧食大作戰	

◆ 參考文獻

⊙中文部分

于暉、張玉翠（2015）。iBeacon 在博物館的應用研究。2015 年北京數字博物館研討會論文集，北京：北京數字科普協會， 244-248。

王蕓瑛（2001）。89 年南區終身學習節活動知行銷探討。科技博物，5（1），19-34。

王蕓瑛（2001）。從口語傳播要見探討博物館科學演示活動。科技博物，5（5），65-81。

王蕓瑛、蘇芳儀 （2010）。科學季行動愛地球～氣候變遷展專刊 ，高雄：國立科學工藝博物館。

王宗斌（1999）。訓練方式、電腦自我效能及學習型態。未出版之碩士論文，國立中央大學資訊管理系碩士論文，桃園中壢。

王紅霞（2010）。例談演示技能在科學教學中的運用。 網站檢索：http://www.yzkx.net/Article/ShowArticle. asp?ArticleID=2403。

王清麗（2010）。說嚴肅遊戲的設計策略。Joumal of Hubei UniVersity of Economics Humanifies and Social Sciences，第 7 卷第 10 期：143-167

王瑜君（2011）。災難，風險，環境變遷與價值選擇：後常態科學對博物館展示的挑戰。十字路上的博物館：博物館研究學術研討會。臺中：國立自然科學博物館。

毛松霖、張菊秀 (1997)。「探究式教學法」 與「講述式教學法」對於國中學生地球科學「氣象」單元學習成效之比較。科學教育學刊，5(4)，461-497。

石奕（2015）。讓參觀成為一種樂趣─智慧導覽定位系統在博物館裡的應用，2015年北京數位博物館研討會論文集，北京：北京數字科普協會，365-369。

朱純慧（2006）。臺灣地區美術品蒐藏機構館藏數位化現況調查及管理之研究。未出版之碩士論文，私立東海大學美術系碩士論文，臺中市。

何慧怡（2012）。臺北市立美術館藏品價值與運用之研究。未出版之碩士論文，國立臺灣藝術大學藝術管理與文化政策研究所碩士論文，新北市。

余國瑛（2005）。博物館發展口述歷史蒐藏之研究。未出版之碩士論文，國立臺南藝術大學博物館學研究所碩士論文，臺南市。

余玫萱（2002）。互動式數位學習之設計。未出版之碩士論文，國立政治大學資訊管理學系碩士論文，台北市。

呂理政（1999）。博物館展示的傳統與期望，臺北：南天。

李俊玲（2008）。科學實驗在科技館教育活動的作用。第10屆中國科協年會論文集。山西省：山西科技館。

李麗香（2004）。國小教師創意教學與學生自我概念學習動機學習策略及學習成效之相關研究。 國立高雄師範大學教育學系碩士論文，高雄市。

李咏吟（1998）。認知教學：理論與策略，臺北：心理出版社。

李曉玉（2015）。博物館展示敘事性研究，青春歲月，8:144-144

李林（2016）。成都博物館：大資料量身定制博物館之旅。2016.09.19新浪收藏。檢自：

http://collection.sina.com.cn/cqyw/2016-09-19/doc-ifxvyqwa3446557.shtml（瀏覽日期:2017 年 9 月 29 日）。

李超（2015）。基於 Beacon 技術的兒童遊樂專案設計研究，設計藝術研究，5（4）： 37-39

吳佩修（2006）。科工 10 年國立科學工藝博物館十周年慶特刊，高雄： 國立科學工藝博物館。

吳淑華（2004）。展示構成與觀眾行為之研究：以台灣鐵道之旅特展為例。科技博物，8（3），3-32。

吳語心（2004）。博物館展示與電影之敘事比較：以「西仔反 - 清法戰爭與台灣」特展與「怒海爭鋒 - 極地征伐」為例。未出版之碩士論文，國立臺南藝術學院博物館學研究所，台南市。

宋倩如（2007）。EFL 嚴肅型遊戲網站設計及使用性評估。中等教育學報，14:188-217。

林大維（2012）。解析嚴肅遊戲中的藝術遊戲。文化創意產業研究學報，第二卷第一期：67-84。

林彥銘（2004）。互動式多媒體展示研究以國立自然科學博物館為例。未出版之碩士論文，雲林科技大學視覺傳達設計研究所碩士論文，雲林縣。

林淑棻、張惠博（2001）。科學演示活動的實施與反省。中華民國第 17 界科學教育學術研討會 高雄：國立高雄師範大學科學教育研究所。

林長義、林淑珍(2011)。創造思考教學運用於高職專業課程學習成效之研究。臺北市第十二屆教育專業創新與行動研究。臺北市：臺北市教育局。

林慧芬 （2006）。組合式設計運用於博物館巡迴展示之初探：以「諾貝爾獎百年特展」與「運動科學展」為例。

未出版之碩士論文，國立台南藝術大學博物館學研究所論文，台南市。

林俊宏（2008）。美麗心世界～憂鬱情緒的覺察與抒解。網站檢索：http://blog.xuite.net/pachelbel/academy/15073613。

林彥銘（2004）。互動式多媒體展示研究以國立自然科學博物館為例。未出版之碩士論文，雲林科技大學視覺傳達設計研究所，雲林縣。

金小娜（2012）。初中科學演示實驗的教學現狀研究。網站檢索：http://www.21cnlunwen.com/jylw/1205/1337739352.html

洪楚源（2006）。從特展到巡迴展的轉化與實踐：以運動科學巡迴展為例探討。科技博物，10（2），31-40。

桂雅文（1999）。劍湖山博物館「大演化」主題展示館規劃經驗。科技博物，3（1），46-51。

陳照森、洪志評（2012）。大學生族群對於臉書的使用行為探討。中華科技大學學報，50，125-144。

陳玟岑（2005）。談策展實務的「未知」-以「丁肇中」特展為例。科技博物，9（3），95-107。

陳玟岑、張美珍、王裕宏（2006）。展場的開發：巡迴展的新策略。科技博物，10（4），61-72。

陳宥成（2007）。白蘭氏健康博物館形成期展示設計之研究。未出版之碩士論文，國立雲林科技大學視覺傳達設計系，雲林縣。

陳志欣（2002）。環境議題教育對國小學生環境認知、態度與行為之影響。未出版之碩士論文，國立屏東科技大學數理教育研究所，屏東縣。

陳玫岑、葛子祥（2007）。漫畫呈現手法在科學博物館展示的應用研究。出國報告：國立科學工藝博物館，1-36。

陳似瑋、徐新逸（2009）。行動遊戲學習之現況與發展，2009資訊科技國際研討會論文集，臺中。

徐純（2000）。博物館利用叢書8-- 如何實施博物館教育評量。台北市：行政院文化建設委員會。

涂建翊、余嘉裕、周佳（2003）。台灣的氣候，臺北：遠足文化。

浦青青（2001）。博物館行銷公關~以國立科學工藝博物館達文西特展為例，科技博物，（5）1 P5-p18。

夏微（編譯）（2015）。海外智慧博物館巡禮—採用各種新技術，以娛樂的方式傳遞文化內涵，新經濟導刊，第3期：44-46。

袁甄妮（2015）。如何突破科普與遊戲的相容瓶頸。科技傳播，2015（7）上：101-103。

耿鳳英（2006）。博物館展示的改變虛與實：新世紀的博物館展示趨勢。博物館學季刊，20卷（1）：81-96。

秦裕傑（1996）。現代博物館，臺北：世界宗教博物館。

翁駿德（2005）。博物館展示之策展團隊。科技博物，9（1），23-64。

許峰旗、楊裕富（2001），博物館短期展覽之展示設計－以設計文化符碼分析科工館陶瓷科技展為例，台灣工藝季刊（7），30~151。

張崇山（2003）。神探再現~科學辦案特展專刊，高雄：國立科學工藝博物館。

張崇山（2007）。轉型再造與多元創新。科工十年：

跨界難不難？——用展示寫夢想

十週年館慶特刊。56-69。

張崇山（2004）。博物館展示的科學與藝術。科技博物，8（4），23-36。

張崇山（2002）。博物館展示更新的迷思與醒思。科技博物，6（5），6。

張世宗（2000）。建構教學－理論與應用，臺北：五南。

張譽騰（1987）。科學博物館教育活動之理論與實踐，臺北：文史哲出版社。

張卉卉（2015）。博物館"敘事性"展示設計研究。美與時代‧城市， 9:74-75。

張孝兵（2016）。一種智慧博物館解決方案淺析。機電工程技術，Z（1）：235-238。

張嵐（2013）。大數據環境下博物館的機遇與挑戰，中國航海博物館第四屆國際學術研討會論文集，上海：上海中國航海博物館，頁186-195。

許婉宜 （2007）。STS教學對學生科學學習成效與科學學習態度影響之統合分析。未出版之碩士論文，私立中原大學教育研究所，桃園中壢。

許淑婷、許純碩、王盈文（2008）。教師教學態度與學生學習成效之關係探討。立德學報，5（2），62-77。

黃抒繪（2008）。數位媒體於博物館空間的情境互動世界宗教博物館館外特展數位創作。未出版之碩士論文，朝陽科技大學設計研究所，台中市。

黃慶源、黃永全、蘇芳儀（2007）。體驗行銷、服務品質、 觀眾滿意度與忠誠度關聯性之研究：以國立科學工藝博物館「青春氧樂園－無菸，少年行」特展為例。科技博物，11（4），71-91。

黃淑芳（1997）。現代博物館教育理念與實務，臺北：臺灣省立博物館。

黃悅深、劉敏（2015）。Beacon 在基於位置的移動圖書館服務中的應用，圖書情報工作，第 3 期：73-78。

黃琦芮（2015）。大數據價值創新之個案研究 - 以阿里巴巴集團為例。未出版之碩士論文，臺灣科技大學財務金融研究所，台北市。

葉永森（2015）。數位遊戲式學習之使用者體驗設計與評估—以嚴肅遊戲「能源戰爭」為例。未出版之碩士論文，臺北科技大學互動設計系，臺北市。

葉思義、宋昀璐（2004）。數位遊戲設計：遊戲設計知識全領域。臺北：碁峰資訊股份有限公司。

楊翎（2010）。跨文化的串連與意義：「大洋之舟」巡迴展誌。原住民自然人文期刊，第二期：199-239。

漢寶德（2000）。展示規劃：理論與實務，台北市：田園城市。

漢寶德（2000）。博物館管理。台北市：田園城市。

趙毓圻（2008）。PODE 教學策略對國小中高年級學生科學學習成效之影響。未出版之碩士論文，國立台北教育大學自然科學教育學系，臺北市。

鄭惠雯譯 / 蘇泰來（Chuck Sutyla）（2004）。一個迷人的展覽經驗。國際交流的的拋物線連結 2004 策展人論壇文集，台中：國立台灣美術館。262-287。

蔡華華、張雅萍（2007）。學習動機對學習成效之影響－以領導行為為干擾變數。中華管理學報 ，8（4）：1-18。

劉興郁、林盈伶（2006）。人格特質、學習型態對學習

成效之影響。工研院創新與科技管理研討會。台北市：工研院。

韓慧泉（2012）。博物館與媒體素養。國立歷史博物館學報，第 45 期：113-135。

蘇芳儀、黃惠婷、盧昭蓉（2006）。青春氧樂園：無菸，少年行特展專刊，高雄：國立科學工藝博物館。

聯合國跨政府氣候變遷小組 （2007）。 全球氣候變遷第四次評估報告，美國：聯合國。

蘇雅君（2003）。服務學習在國中童軍社團推動與學生學習效果之研究。未出版之碩士論文，國立台北師範大學公民教育與活動領導學系在職進修班，臺北市。

⊙ 英文部分

Bitgood, S.,1994.Designing effective exhibits: Criteria for success,exhibit design approaches,and research strategies.Visitor Behavior,9(4):4-15.

Dube, L. & Menon, K. (2000). Multiple Roles of Consumption Emotion in Post-Purchase Satisfaction with Extened Service Transaction. International Journal of Service Industry Management, 11(3), 287.

Donahue, P. F., (2004) 。 Collections=museum? ICOM MEWS，2（4）。

Dr sharron Dickman（2002），如何行銷博物館，台北：五觀。

Ellen Gamerman., When the Art Is Watching You. 2014,Dec.11.The Wall Street Journal. 檢 自 :http://www.acoustiguide.com/coverage/when-the-art-is-watching-you_-the-wall-street-journal（瀏覽日期:2017 年 5 月 29 日）。

Gardner, M. P. (1985). Mood States and Consumer Behavior: A Critical Review. Journal of Consumer Research, 12(December),

281-300.

Higbee, Kenneth, L. (1969). Fifteen Years of Fear Arousal: Research on Threat Appeals: 1953-1968. Psychological Bulletin, 72(6), 426-444.

Izard, C. (1972). An Empirical Analysis of Anxiety in Terms of Discrete Emotions. In Patterns of Emotions: A New Analysis of Anxiety and Depression. New York: Acadmic Press.

Jenkins, H. (2002). Game theory. Technology Review, 29, 1-3.

Latour, M.S. & R. E. Pitts(1989). Using Fear Appeals in Advertising for AIDS Prevention in the College-Age Population. Journal of Health Care Marketing, 9(3), 5-14.

Leventhal, H. (1970). Findings and Theory in the Study of Fear Communications. In L. Berkowitz (Ed.). Advances in experimental social psychology,5: 119-186. New York: Academic Press

McFarlane, A., Sparrowhawk, A., & Heald, Y. (2002). Report on the educational use of games: An

exploration by TEEM of the contribution which games can make to the education process.

Michael Belcher (1991). Exhibition in Museum. London: Leicester University Press.

Plutchik, P. (1980). A Strutural Model of Emotiom. Harper and Publishers, R. (Eds.) In Emotion: A Psycho evolutionary synthesis, 152-172, New York.

Piccoli, G., Ahmad, R., & Lves, B. (2001). Web-based virtual learning environments: A research framework and a preliminary assessment of effectiveness in basic IT skills training. MIS Quarterly, 25, 401-426.

Rahimi, M., & Hassani, M. (2012). Attitude towards EFL textbooks as a predictor of attitude

towards learning English as a foreign language. Procedia-

Social and Behavioral

Sciences, 31, 66-72. doi:10.1016/j.sbspro.2011.12.018

Roth, W. M., & Lucas, K. B. (1998). From truth to invented reality: A discourse analysis of high school physics students' talk about scientific knowledge. Journal of Research in Science Teaching, 34(2), 145 - 179.

Shaver, P., Schwartz, J., Kirson, D. & O' Connor, G. (1987). Emotion Knowledge: Further Exploration of a Prototype Approach .Journal of Personalityand Social Psychology,52, 1061-1086.

Sussman, S., Sun, P., & Dent, C. W. (2006). A Meta-analysis of Teen Cigarette Smoking Cessation. Health Psychology,25(5), 549-557.

Tobin, K. (1990). Research on science laboratory activities: Inpursuit of better questions and answers to improve learning. School Science and Mathematics, 90(5), 403-415.

UNSCO（1963）.Temporary and Traveling Exhibitions. Pairs,France:UNSCO.

White,R（1998）Learn science.Oxford:Basil Blackwell.

Young, M., Klemz, B., & Murphy, J. (2003). Enhancing learning outcomes: the effects of instructional technology, learning styles, instructional methods, and student behavior. Journal of Marketing Education, 25(2), 130-142.

國家圖書館出版品預行編目資料

跨界難不難？！——用展示寫夢想 / 蘇芳儀 著
--初版-- 臺北市：博客思出版事業網：2019.04
ISBN：978-957-9267-05-2（平裝）

1.博物館展覽 2.博物館展示設計 3.個案研究

069.7　　　　　　　　　　　　　108002086

跨界難不難？！——用展示寫夢想

作　　者：蘇芳儀
編　　輯：塗宇樵
美　　編：塗宇樵
封面設計：塗宇樵
出　版　者：博客思出版事業網
發　　行：博客思出版事業網
地　　址：台北市中正區重慶南路1段121號8樓之14
電　　話：（02）2331-1675 或（02）2311-1691
傳　　真：（02）2832-6225
E—MAIL：books5w@gmail.com或books5w@yahoo.com.tw
網路書店：http://bookstv.com.tw/
　　　　　http://store.pchome.com.tw/yesbooks/
　　　　　博客來網路書店、博客思網路書店、
　　　　　三民書局、金石堂書店
總　經　銷：聯合發行股份有限公司
電　　話：（02）2917-8022　傳　真：（02）2915-7212
劃撥戶名：蘭臺出版社 帳號：18995335
香港代理：香港聯合零售有限公司
地　　址：香港新界大蒲汀麗路３６號中華商務印刷大樓
　　　　　C&C Building, ３６,Ting, Lai, Road, Tai,Po, New,Territories
電　　話：（852）2150-2100　傳真：（852）2356-0735
經　銷　商：廈門外圖集團有限公司
地　　址：廈門市湖里區悅華路８號４樓
電　　話：86-592-2230177　傳　真：86-592-5365089
出版日期：2019年04月 初版
定　　價：新臺幣350元整（平裝）
ＩＳＢＮ：978-957-9267-05-2